Les bébés animaux
[1001]
[photos]

Conçu et réalisé par Copyright
pour les Éditions Solar
Rédaction : Suzanne Millarca et Michel Viard
Création graphique : Gwénaël Le Cossec
Coordination éditoriale : Gracieuse Licari
Mise en pages : Di-One
Photogravure : Frédéric Bar
Fabrication : Céline Roche
Remerciements à : Sophie Charbonnel, Pierre Gourdet,
Jean-Louis Massardier et Arnaud de Meyer

Les bébés animaux
[**1001**]
[photos]

Sommaire

L'apprentissage et le jeu

La naissance

La vie de famille

La vie de tous les jours

À la ville, à la ferme

Index p. 460

La naissance

La tortue d'Hermann est très vulnérable à sa sortie de l'œuf. Elle est une proie facile pour ses prédateurs.

La plupart des poissons et des reptiles, des amphibiens, des oiseaux et des insectes pondent des œufs. Une fois leur tâche accomplie, certains parents disparaissent, abandonnant leur progéniture, tandis que d'autres construisent des nids, veillent sur les œufs et prennent soin de leurs petits.

Dans la plupart des cas, les œufs se développent hors du corps de la mère, mais certains reptiles, comme l'orvet ou la vipère, et quelques requins les conservent dans leur ventre jusqu'à complète croissance. Les petits sortent alors vivants et n'ont plus qu'à briser leur coquille. De taille, de forme et de couleur multiples, les œufs sont pondus dans des milieux très différents. Ceux des poissons et des grenouilles se développent dans l'eau : ils sont mous et gélatineux. Abandonnés par leurs parents, les alevins ne peuvent survivre que s'ils trouvent de la nourriture dès leur éclosion. Ce sont les herbes et les algues sur lesquelles ils reposent qui les alimenteront.

Les œufs des reptiles ont une coquille dont l'étanchéité l'empêche de se dessécher ; ceux des mollusques sont ronds, brillants et nichés dans le sol humide.

De nombreux insectes non aquatiques pondent néanmoins dans l'eau ; les jeunes larves y vivront jusqu'à l'âge adulte. Le scarabée pond dans une boule de bouse dont se nourrira le petit. Le papillon place les siens sur des plantes appréciées et dévorées par la chenille.

Les œufs des oiseaux ont une coquille dure et calcaire. La plupart les pondent dans des nids. Pour les couver, le fou enveloppe ses œufs de ses pattes. Le manchot empereur, quant à lui, main-

Sortir de l'œuf

tient son œuf unique dans un repli de la peau, au bas du ventre, pour le protéger du froid. Car certains œufs, pour éclore, ont besoin de chaleur. C'est dans le sable qu'on trouve les œufs de tortue de mer, et dans les feuilles mortes ceux de certains reptiles. Le crocodile est un des rares reptiles à s'intéresser à la naissance de ses petits.

Peu après l'accouplement, la femelle commence à fabriquer son nid. À l'aide de ses pattes arrière, elle creuse un trou d'une soixantaine de centimètres dans le sable. Elle y dépose de quinze à quatre-vingts œufs, puis les recouvre pour les tenir au chaud. Certaines espèces, comme l'alligator du Mississippi, préfèrent un lieu ombragé, à proximité de l'eau. Il amasse des brindilles, des branches mortes et de la terre, puis il enfouit ses œufs au centre. La matière végétale en décomposition fournit la chaleur nécessaire. De la température d'incubation dépendra d'ailleurs le sexe du nouveau-né. La mère surveille et défend farouchement le nid contre tous les prédateurs. Pendant les trois mois d'incubation, elle est capable de rester sans manger. Par de petits cris et des grognements, les embryons préviennent la mère de l'imminence de leur sortie. Celle-ci découvre alors le nid et déterre les œufs. Une fois leur coquille brisée, elle prend les nouveau-nés dans la bouche et les dépose dans l'eau. Ils reste-

ront tout près de leur mère durant quelques jours, sur sa tête ou son dos. S'il leur arrive de s'égarer, ils poussent de petits cris : les adultes les ramènent aussitôt vers le groupe. Ils sont alors particulièrement vulnérables. Les aigles, les poissons carnivores, les mangoustes sont à l'affût ; tout comme les crocodiles adultes, qui ne reculent pas devant un acte de cannibalisme. À la fin de cette période critique, la famille se défait.

[1] Le nouveau-né crocodile du Nil possède au bout du museau une pointe cornée appelée caroncule.
[2] Dès que le jeune crocodile est sorti de l'œuf, sa mère le prend délicatement dans sa bouche pour l'amener à l'eau.

[3] Pour s'extraire de son œuf, le crocodile du Nil mettra plusieurs heures.
[4] Les crocodiles nouveaux-nés mesurent 30 cm de long.
[5] Si certains œufs de la couvée tardent à s'ouvrir, la femelle déchire la coquille en faisant rouler les œufs entre sa langue et son palais.
[6] Les bébés crocodiles sont des proies faciles pour les aigles et les mangoustes, ils s'éloignent peu de leur mère protectrice.

[1-2] La couleuvre verte et jaune pond de 5 à 15 œufs. Six à 8 semaines plus tard, éclosent des serpenteaux longs de 20 à 25 cm, au corps parsemé de mouchetures jaunes, grises et brunes.
[3] La morsure du serpent africain des maisons est totalement inoffensive. Bien que celle d'un adulte puisse être douloureuse, celle d'un juvénile se traduit par de simples petites égratignures très superficielles.

[4] Le caméléon dépose ses
œufs dans un nid creusé
à même le sol.
[5] Le *Lampropeltis hondurensis*
dévore souvent ses congénères
issus de la même couvée.
[6] La couleuvre à gouttelettes
peut atteindre 2 m à l'âge
adulte.

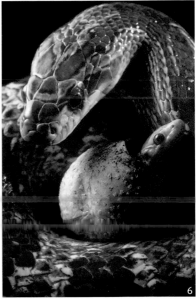

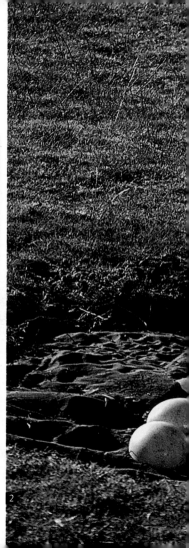

[1-2] L'autruche pond jusqu'à 12 œufs. L'éclosion, au bout de 42 jours, peut demander plus de 50 heures d'efforts à la petite autruche.

3 [1-3] La tortue d'Hermann est la seule tortue terrestre française. Très menacée, elle ne vit plus que dans un territoire restreint dans le Var et en Corse. La femelle dépose une dizaine d'œufs au printemps sur des sites chauffés par le soleil. L'éclosion a lieu à la fin de l'été.
[2] La tortue grecque ou mauresque pond de 3 à 12 œufs, leur incubation dure de 60 à 90 jours.

[4] Le héron pourpré fait son nid dans les roselières des étangs et des marais.
[5] Le noddi brun niche sur les îles tropicales ou subtropicales du globe.
[6] Le goéland argenté est un oiseau très sociable qui préfère nicher en colonie.
[7] La bernache de Patagonie dépose ses œufs dans un nid fait de duvet et de plumes.

17

[1-3] Le manchot gorfou sauteur (1) et le manchot royal (3) maintiennent au chaud leur unique œuf dans un repli de la peau, au bas du ventre.
[2] Le courlis cendré se reproduit de l'Europe occidentale au cercle arctique.
[4] La ponte du pétrel géant a lieu fin août et son éclosion fin octobre.
[Page de droite] Les œufs des poules d'eau sont portés par un nid flottant.

Dès sa sortie du ventre
de sa mère, le bébé
dromadaire émet de petits
cris, on dit qu'il blatère.

Une fois fécondé, l'œuf des mammifères se développe dans l'utérus sous forme d'embryon, et c'est déjà formé et relativement robuste que ce dernier quitte le ventre maternel. Même si, à la naissance, le jeune animal est faible et sans défense, il a atteint un stade où il est capable de pourvoir plus ou moins rapidement à ses besoins.

Excepté les marsupiaux, qui naissent à un stade embryonnaire, tous les mammifères, de la souris à l'éléphant, mettent bas des petits déjà alertes. Ces espèces sont dites « vivipares ».

Chez les espèces de petite taille, tels les lapins, les chats, les chiens... les naissances sont en général multiples. Ainsi, la femelle hérisson met au monde cinq petits, et l'opossum peut avoir des portées de douze. Mais le panda, l'éléphant ou les singes n'ont qu'un seul petit.

Par ailleurs, la gestation varie considérablement d'une espèce à l'autre : un mois pour le lapin, cinq mois pour la chèvre, douze pour le zèbre, vingt-deux pour l'éléphant. Après ce temps nécessaire au développement de l'embryon, les petits vont effectuer, hors du ventre maternel, leur première respiration.

Les femelles carnivores ont tendance à s'allonger pour favoriser la naissance, tandis que les herbivores restent debout, sur leur quatre pattes, pour mettre bas. C'est le cas de la girafe, aussi grande soit-elle. Les mammifères marins qui en sont capables retournent sur la terre ferme au moment de l'accouplement et des naissances ; leur petit ne pourrait en effet survivre dans l'eau.

La chauve-souris ou le paresseux, quant à eux, mettent bas la tête en bas, le nouveau-né glissant le long de leur corps.

Sortir du ventre

Le premier geste des mères est de couper le cordon ombilical si nécessaire, puis de lécher leur progéniture pour la nettoyer du liquide amniotique, la sécher et la réchauffer. Le petit et la mère apprennent ainsi à se reconnaître par l'odeur, car, pour beaucoup de femelles, il n'est pas question de s'occuper d'un autre petit que le leur.

[1] Le bébé colobe sort du ventre de sa mère entièrement blanc. Ce n'est que quelques mois après sa naissance que son pelage s'assombrira.
[2] La femelle addax met au monde un unique bébé après 330 jours de gestation.
[3] La gazelle de Thomson met au monde un ou deux bébés après 165 jours de gestation.

[4-5] Quatre ou 5 hérissons naissent après une gestation de un mois. La femelle va les allaiter durant une vingtaine de jours.
[6] Les lionceaux naissent après une gestation de 3 mois et demi, ils seront allaités pendant 2 mois et demi.

[1] Le bébé auroch naît après une gestation de 9 mois.

[2] Le petit du bison d'Europe termine sa croissance vers 6 ans, ils pèse alors environ 700 kg.

[3] Le veau et sa mère apprennent à se reconnaître par l'odeur, car, pour la plupart des mammifères, la femelle ne s'occupe que de son petit.

[4] La loutre d'Europe se reproduit toute l'année, et l'accouplement se fait dans l'eau. Après une gestation de 60 jours, la femelle donne naissance à 1, 2 ou 3 loutrons. [5-6] La durée de gestation des souris est de 21 jours, et la portée compte de 5 à 12 petits souriceaux. [7] Lorsque les femelles chamois mettent bas, tous les membres du troupeau veillent à la sécurité des nouveau-nés.

[1] Le bébé lion de mer des Galàpagos
est aujourd'hui strictement protégé.
Il peut donc passer sans danger
de longues heures sur la plage avec mère.

[2] L'éléphant de mer austral vient se
reproduire sur les côtes sablonneuses.
Adulte, le mâle pèsera plus de 3 tonnes
et la femelle plus de 800 kg.

[1 à 7] Après avoir été saillie par un étalon, la jument va donner naissance à un poulain au bout de 11 mois de gestation. La mise bas se fait sous l'étroite surveillance d'un vétérinaire. Elle est très rapide, moins d'un quart d'heure. Aussitôt né, sa mère le lèche, puis l'incite par des coups de museau à se lever. Le poulain levé tète alors sa mère.

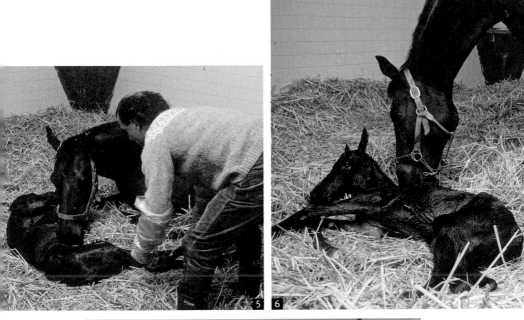

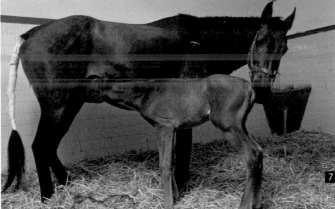

[1] Le faon, d'abord taché de blanc et de jaune,
devient chevrillard après 6 mois,
puis chevreuil l'année suivante.

[2] Le bontebok est une antilope sud-africaine.
Après avoir beaucoup souffert de la chasse,
l'espèce se maintient aujourd'hui grâce essentiellement
à des reproductions faites en semi-captivité et dans des zoos.

2

Pour mettre bas, la renarde creuse un terrier mais, le plus souvent, elle s'installe dans celui d'un autre animal (d'un blaireau, par exemple). La renarde donne naissance à une portée de 3 à 5 petits, parfois plus.

D e nombreux mammifères : vaches, éléphants, girafes… mettent bas leurs petits en plein air, dans des lieux plus ou moins découverts, sans le moindre souci de leur procurer un abri. Ces animaux, capables de se déplacer rapidement après leur naissance, n'en ont guère besoin. Mais d'autres naissent sans la moindre posibilité d'autonomie.

La tanière ou le nid sont alors pour eux un antre protecteur indispensable. Dépourvus de fourrure, fragiles, ils sont maintenus au chaud dans cet abri et par le corps de leur mère.

Certains parents sont doués pour la construction. À l'approche de la naissance de leurs petits, ils se mettent en quête d'un endroit sûr et abrité où ils bâtissent une demeure pour leur progéniture. Alors que certains oiseaux confectionnent des nids très sophistiqués, la plupart des mammifères sont, quant à eux, beaucoup moins habiles. Ils se contentent souvent d'un trou dans le sol, d'un arbre creux. Le lynx naît en général dans une cavité rocheuse, le jaguar sur une surface d'herbe aplatie…

Pourtant, quelques animaux sont de véritables architectes. L'écureuil construit un nid composé de feuilles, de mousse et d'écorce de chèvre-feuille, qui, posé à la fourche d'une branche, est si solide qu'il peut subsister des années en dépit des intempéries. La tanière du blaireau est un véritable labyrinthe composé de plusieurs pièces. Très propre, elle est tapissée d'herbe et de paille, un puits spécial servant à évacuer les excréments. L'ourse polaire, quant à elle, fabrique sous la

Naître dans un terrier, dans une tanière

neige une tanière sophistiquée qui ressemble à un igloo. L'accès en est fermé par un tas de neige, et la température, de 10 à 20 °C, y est, grâce à la chaleur de la mère, supérieure à celle de l'extérieur.

[1-2] Les bébés hyènes tachetées naissent dans des terriers qui sont également utilisés une grande partie de la journée par tous les membres de la meute ; les hyènes chassent le soir venu.

La naissance

[3-4] Ces petits lapins de garenne ont une semaine, ils font leur première sortie hors du terrier.
[5] Âgé d'un mois, le lapereau ose s'aventurer loin de son terrier.
[6-7] Les fouines s'accouplent deux fois par an, entre juillet et août, puis entre février et mars. Les jeunes naissent avec un poids de 30 g.

35

[1-2] La tanière où naissent les bébés coyotes comporte un espace intérieur d'environ 2 m à près de 1 m de profondeur dans le sol. Elle est le plus souvent l'élargissement du terrier d'une marmotte ou d'un renard. Elle peut être aussi tout simplement aménagée sous un gros tronc d'arbre creux, dans une fente élargie d'un rocher ou dans un bâtiment abandonné.
[3] Sorti au printemps de sa tanière, ce bébé renard polaire porte une livrée brune ; elle deviendra blanche l'hiver venu.

[4] Les bébés hamsters, dans la nature, naissent dans des petits terriers. En captivité, les femelles mettent bas dans un nid fait de coton recouvert de paille.
[5-6] Les suricates naissent et vivent toujours près de leur terrier. Ils se tiennent la majorité du temps sur leurs gardes, debout, guettant les prédateurs.

[1] La femelle rat des moissons met 48 heures pour fabriquer un nid entièrement clos; elle y mettra bas de 3 à 8 bébés.
[2] Les lérots naissent et hibernent dans une tanière faite de paille.

[1-2-4-5-6] La femelle de l'ours noir d'Amérique se retire l'hiver dans sa tanière pour donner naissance à ses petits. En avril ou en mai, la petite famille quitte la tanière. Les jeunes demeurent 1 an auprès de leur mère, puis deviennent solitaires. [3] Le grizzly est aussi un ours américain, qui se différencie de l'ours noir par une bosse sur l'arrière de la tête. Les oursons grizzlys pèsent 450 g à la naissance ; adultes ils atteindront la demi-tonne.

Le manchot, comme certains autres oiseaux, ne fabrique pas de nid pour la naissance de son petit. D'autres espèces, au contraire, en construisent d'extrêmement élaborés, surtout lorsque les jeunes y effectuent une grande partie de leur croissance. Tapissés de plumes, de laine, de poils, ils sont camouflés dans des arbres, des troncs creux, sous les toits, installés aux flancs des rochers...

Quelques oiseaux néanmoins se contentent d'une dépression dans le sol qu'ils recouvrent sommairement de brins d'herbe ou de branchages. Quoi qu'il en soit, le nid est une cachette dans un environnement hostile où les œufs doivent incuber de dix à cinquante-deux jours selon les espèces. Durant cette période, les parents se relaient pour couver et trouver de la nourriture. Chez les oiseaux de proie, seule la femelle s'occupe des œufs. Parfois, les parents se sont séparés juste après la ponte. Quelques jours avant d'éclore, les poussins se manifestent par de petits cris. La mère ne quitte plus le nid. Mais sortir de l'œuf est parfois une véritable épreuve. Heureusement, une pointe très dure située au-dessus du bec de l'oisillon, et qui disparaît ensuite, lui permet de briser sa coquille. La plupart des oiseaux prennent grand soin du nid tant qu'y séjournent leurs petits. Ils le débarrassent régulièrement des souillures et des excréments.

Selon les espèces, nidicoles ou nidifuges, les jeunes oiseaux quittent plus ou moins vite leur nid. Quand ils rechignent à le faire, les adultes les

Naître dans un nid

incitent parfois à partir en poussant des cris d'appel et en agitant de la nourriture dans leur bec. Ils s'approchent, s'éloignent, et recommencent jusqu'à ce que les petits se décident à quitter leur abri.

Il arrive que des individus différents se succèdent dans un même nid. Ils le réaménagent alors à leur goût.

Vers la fin de l'hiver, lorsque les cigognes reviennent de leur long périple, le mâle se met à la recherche du nid familial. Une fois l'emplacement reconnu, il en commence la restauration : il ajoute des branchettes pour l'agrandir et consolider l'assise, épaissit le matelas de mousse et de paille. Au bout de plusieurs années, certains nids peuvent peser plus de 500 kilos ! Quelques jours plus tard, lorsque tout est prêt, la femelle arrive. Au début du printemps, elle pond généralement quatre œufs. Cette activité dure une dizaine de jours, tout comme les éclosions successives, qui débutent après plus de quatre semaines de couvaison. Pour accomplir cette tâche, les parents se sont consciencieusement relayés dès la ponte du premier œuf.

Ce sont les trois premières semaines qui leur demandent le plus de travail. Pour satisfaire la voracité de leurs petits et calmer leur impatience, ils doivent apporter de grandes quantités de nourriture qu'ils régurgitent au milieu du nid. Après cette période, les cigogneaux, déjà bien développés, commencent à battre des ailes, mais ils ne seront capables de voler qu'au bout de deux mois.

Dans les premiers temps, les parents continuent de les nourrir et ils réintègrent chaque nuit le nid familial. Après cette phase de transition, ils le quittent définitivement. Et un peu plus tard entament avec les adultes le long voyage qui doit les mener en Afrique. Trois ans après, ils réapparaîtront dans leur région natale pour nidifier à leur tour. La cigogne est un oiseau de bon augure : on raconte qu'elle amène les bébés dans un sac accroché à son bec. Ce pouvoir légendaire lui a valu la protection des hommes.

[1-2] Le nid des grèbes huppés est constitué principalement d'algues. Les adultes en garnissent la coupe peu profonde de végétaux qui servent à recouvrir les œufs si les adultes s'absentent du nid. Après l'éclosion, les oisillons sont nourris par le mâle et la femelle. [3-4-5-6] Les nids des cigognes sont de larges aires situées en hauteur, souvent installées en ville sur des cheminées désaffectées.

[1] Dans le nid, la buse variable femelle dépose 3 ou 4 œufs, à intervalles de 2 ou 3 jours. Le mâle remplace la femelle si elle quitte occasionnellement le nid, il lui apporte des proies et la nourrit pendant l'incubation.

[2] La poule d'eau fait son nid le plus souvent dans les roseaux près de l'eau, mais il lui arrive de nicher dans un tronc d'arbre en récupérant le nid d'un écureuil.

[3] Le balbuzard fluviatile est un rapace pêcheur, son nid surplombe toujours un point d'eau.

[4] Le nid du cormoran huppé est installé dans un creux de rocher en bord de falaise.

[5] Le mâle et la femelle noddis à bec grêle
veillent ensemble sur leur couvée.
[6] Le bec grand ouvert, les oisillons de la pie grièche
écorcheur attendent leur nourriture.
[7] Le faucon crécerelle ne fait pas réellement
de nid, il pond dans un arbre creux, un trou
de muraille, la corniche d'un immeuble ou dans
un vieux nid de pie ou de corbeau.

[1-2] Le nid des spatules roses est fait de roseaux ou de saules tressés. La femelle et le mâle veillent à tour de rôle sur leurs oisillons dont le plumage passera rapidement du blanc pur au rose intense.

[1-2-3] La mésange charbonnière installe son nid dans un trou d'arbre ou de mur ; elle y dépose, deux fois par an, de 5 à 12 œufs. L'incubation dure 13 jours. Les oisillons s'envolent du nid 20 jours après leur naissance.

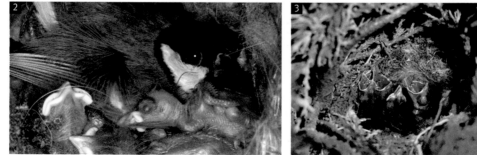

[4] Le nid du grèbe à cou noir
est dissimulé dans les roseaux.
[5] Les petits éperviers attendent leurs
parents partis chercher leur nourriture.
[6] La buse variable fait souvent son nid
en haut d'un arbre ou sur une falaise.

[1] L'accès au nid du tisserin de Taveta
se fait par le bas.
[2] Le marabout d'Afrique niche en colonie,
souvent en compagnie des pélicans.
[3] À leur naissance, les petits hiboux moyens-ducs
sont recouverts d'un duvet grisâtre.
[Page de droite] Le loriot d'Europe
installe son nid au sommet
d'un arbre et y pond de 3 à 5 œufs.
Il nourrit ses petits avec des baies.

4

Le froid intense de l'Arctique fait geler la mer sur une épaisseur de quelques mètres, c'est la banquise. Sur ce désert glacé naissent et vivent provisoirement, ou en permanence pour certains, toutes sortes d'animaux adaptés au froid intense : ours blancs, morses, phoques gris, goélands sénateurs, harfangs des neiges...

Dans la toundra au sol gelé qui entoure l'Arctique, des bœufs musqués, des caribous et des rennes viennent se reproduire en été. Les lemmings, quant à eux, y vivent continûment. Ils creusent des galeries dans la neige, où leurs petits naissent au printemps.

À l'opposé, sur le continent antarctique, recouvert de neige et d'une couche de glace qui peut atteindre une épaisseur de 2,5 km, vivent le long des côtes des manchots, des albatros... Les animaux évitent l'intérieur des terres, dont les conditions sont trop rudes pour eux. Au pôle Nord comme au pôle Sud, l'été est très court : c'est à ce moment-là que des populations animales arrivent pour se reproduire. La nourriture abonde et les

prédateurs étant moins nombreux qu'ailleurs, les nouveau-nés y sont un peu plus en sécurité.

Quand revient l'hiver, certaines espèces demeurent sur place. Une fourrure abondante et une graisse sous-cutanée épaisse les protègent du climat polaire. D'autres partent vers des horizons moins froids et reviennent l'été suivant, aux mêmes endroits, guidés par la position du soleil, de la lune et des étoiles.

Quoi qu'il en soit, les petits nés sur la glace doivent se développer rapidement, car la saison clémente dure peu. Il leur faut être suffisamment forts pour affronter le retour du froid extrême ou pour migrer.

Naître dans le froid

D'autres animaux ont dû s'adapter à la vie des montagnes. Au sommet, rien ne pousse. Il faut donc descendre les pentes pour trouver de quoi se nourrir. C'est ce que font de nombreux herbivores, qui traînent à leur suite des mammifères carnivores tels la panthère des neiges ou le lynx, à l'affût des petits, faibles et vulnérables.

1 **2**

3 [1 à 7] L'extrême résistance au froid, la force
et l'endurance des huskies du Canada en font
les meilleurs chiens de traîneau du monde.
Les femelles mettent bas sans problème
dans la neige. C'est dans un environnement
où les températures peuvent descendre à − 50 °C
que ces chiens se sentent le plus à l'aise et non
en appartement comme chien de compagnie, ce qui
devient malheureusement le plus souvent le cas.

4 5

6 7

[1 à 4] Les cerfs sikas sont originaires de Chine et du Japon, et ils ne craignent nullement le froid. Dès le mois de mars de l'année suivant la naissance, leur tête s'orne de bois composés de six ou huit cors. Il existe plusieurs sous-espèces et croisements.

[5-7] Les jeunes couguars
aiment jouer dans la neige.
[6] L'épaisse fourrure du bison d'Europe
le protège du froid.

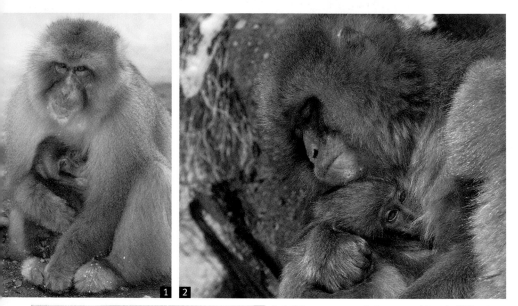

3 [1 à 6] Les macaques du Japon semblent indifférents à la neige et au froid. Lorsque celui-ci se fait trop intense, les singes vont se réchauffer en prenant des bains dans des sources d'eaux chaudes.
La plus importante population de ces macaques se trouve dans le haut plateau de Shiga qui fait partie du parc national de Joshin-Etsu, au Japon.

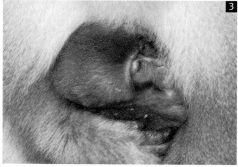

La naissance

4 5

6

[1-3] La femelle mouette tridactyle se place contre le vent pour protéger du froid ses oisillons.
[2-6] Le petit manchot ne s'aventure hors du giron de sa mère que durant les heures ensoleillées de la journée.

[4-7-8] Le manchot de Magellan doit
son nom au célèbre explorateur qui
le découvrit en Terre de Feu.
[5] Le bébé phoque à capuchon a une
espérance de vie de plus de 40 ans.
À cet âge, il peut peser jusqu'à 500 kg.

63

[1] Dès son plus jeune âge, le couguar sait suivre les traces de ses proies dans la neige.
[2] La panthère des neiges, encore appelée once, vit dans les régions montagneuses de l'Himalaya. La femelle donne naissance, dans une tanière établie dans une anfractuosité, à 2 à 5 petits chatons, qui resteront avec elle jusqu'à l'âge de 1 an.

D'innombrables espèces forment le règne animal. À l'intérieur de ce monde fascinant existent des disparités extraordinaires. Il n'y a bien évidemment rien de commun entre un protozoaire et un mammifère évolué.

Pourtant, chaque espèce a ses caractéristiques physiques, ses propres mœurs, ses comportements particuliers. Des animaux très simples nous étonnent par certaines de leurs performances, d'autres par leur apparence peu commune. Dans chaque classe se trouvent des animaux qui, à leur manière, peuvent prétendre atteindre un record. Sans aucune intention, pourtant ! Ainsi, la baleine bleue est le plus lourd et le plus volumineux des animaux. À sa naissance, le baleineau pèse 2 000 kilos et mesure 7 mètres de long. Adulte, il pèsera plus de 130 tonnes. Un spécimen de 190 tonnes fut péché en 1947, soit le poids de trente et un éléphants.

Le plus long des animaux est un ver marin, *Lineus longissimus*, qui peut atteindre 55 mètres pour une épaisseur de 1 centimètre. Comme le kangourou, la puce est une remarquable sauteuse. Elle fait des bonds de 20 centimètres de haut, ce qui représente 150 fois sa hauteur.

Beaucoup de très jeunes animaux périssent, victimes de prédateurs ou de maladies. Certains, comme l'éphémère, sont programmés pour durer très peu. D'autres, en revanche, ont la chance de vivre très vieux. La tortue géante des Galàpagos peut vivre jusqu'à plus de cent cinquante ans et l'épaulard femelle peut atteindre cent ans.

Mais il est d'autres records peut-être plus impressionnants encore. Pour trouver sa nourriture, le pluvier doré parcourt chaque année plus de 19 000 kilomètres entre le Brésil et le Canada. La tortue franche, quant à elle, nage près de 3 000 kilomètres pour rejoindre de petites îles perdues au milieu de l'Océan, où elle va se reproduire.

Les insectes, les invertébrés le plus grand, le plus petit

[1] Le doryphore, rapporté d'Amérique avec la pomme de terre, va devenir un redoutable parasite pour ce légume, en particulier sa larve dévoreuse de feuilles.

Puis, elle entreprend le même voyage en sens inverse pour regagner les côtes du Brésil.

Contrairement aux reptiles, aux poissons, aux oiseaux ou encore aux mammifères, les invertébrés sont des animaux dépourvus de squelette interne. Ils représentent 95 % des espèces vivantes, de l'amibe à l'insecte en passant par les méduses, les vers, les araignées, les crustacés et mollusques... Ils sont partout : dans l'eau, dans les airs et sur la terre ferme. Les espèces d'insectes sont innombrables. Leur forme, leur couleur, leur taille offrent une diversité extraordinaire. De plus, beaucoup possèdent une énorme puissance de reproduction. Une reine de termites, par exemple, pond un œuf toutes les deux secondes, vingt-quatre heures sur vingt-quatre.

Les insectes déposent leurs œufs dans des lieux très divers - sur des feuilles, dans le sol, dans la tige de certains végétaux - où les larves trouveront, dès leur éclosion, de quoi se nourrir. Des mues successives vont les transformer en des insectes adultes, qui ne vivront pour certains que quelques heures, mais suffisamment tout de même pour s'accoupler, pondre et perpétuer la vie. Les araignées, quant à elles, déposent leurs œufs dans un cocon placé sous des pierres ou dans l'écorce des arbres.

Des œufs de crustacés, libérés dans l'eau ou agglutinés sous la queue de la femelle, sortent des larves à des stades plus ou moins avancés. La grande crevette rose pond de très nombreux œufs, qui donnent naissance à des larves microscopiques ayant peu de ressemblance avec l'adulte. Tandis que l'écrevisse est déjà un jeune crustacé lorsqu'elle sort de son œuf.

Les mollusques comptent plus de 45 000 espèces très diversifiées tant dans leur morphologie que dans leur organisation interne. La plupart vivent dans l'eau, tels les coquillages ou les pieuvres ou les calmars, d'autres évoluent sur terre comme la limace ou l'escargot. Ce dernier creuse le sol pour y déposer ses œufs. Environ un mois plus tard, de minuscules escargots, dotés d'une ébauche de coquille, en sortent. Peu après, ils quitteront leur nid pour partir à la recherche de nourriture, guettés par de nombreux ennemis.

2 3

[2] La larve de phrygane vit dans l'eau entourée d'un fourreau fait de débris végétaux.
[3-4] Le nid des guêpes polistes est fait de bois malaxé et transformé en une sorte de papier mâché.
[5] L'oothèque est une sorte de cocon contenant des œufs, ici celui d'une mante religieuse.

4

5

[1-2] Les bébés mygales ont un corps presque translucide qui va se couvrir peu à peu de poils urticants.
[3] Le bébé de la scolopendre de Martinique se déplace grâce à ses très nombreuses pattes vertes.

[4] Le petit phasme à tiare a l'aspect d'une brindille.
[5] Le scorpion impérial est un redoutable prédateur, il n'hésite pas à s'attaquer à des serpents, des rongeurs ou des lézards.
[6] La larve du hanneton est la hantise des jardiniers car elle est dotée de petites mâchoires qui sectionnent les tiges et les racines.

[1] Cette énorme araignée velue
n'est qu'une jeune mygale.
Les femelles deviennent plus grosses que les mâles
et vivent plus longtemps :
20 ans contre 5 pour les mâles.
[2] Dressées, ces petites larves transparentes vont devenir
de magnifiques papillons : les morios.

[1] Atteignant 300 km/h en piqué, le petit faucon pèlerin est l'oiseau le plus rapide du monde.

[2-3-4] L'autruche est le plus grand des oiseaux,
avec ses 2,7 m de haut, et le plus rapide
à la course, avec des pointes de 65 km/h.
Ses œufs sont aussi les plus gros, plus de 1,5 kg.

[1] Le petit paresseux bat tous les records de lenteur : il lui faut 1 heure pour parcourir une centaine de mètres.
[2] Il existe de nombreuses espèces de caméléons. Certaines ont des bébés qui ne dépassent pas la taille d'une framboise.

[3] La girafe est l'animal terrestre le plus grand avec plus de 4,50 m de haut.
[4] L'éléphant de mer est le plus grand des pinnipèdes, jusqu'à 7 m de long pour les mâles.
[5] Le rat des moissons est le plus petit des rongeurs ; adulte, il ne pèse que 6 g.

Les premiers pas

Moins de 1 heure après
sa naissance, le petit lama
se tient debout. Il est même
capable de galoper sur
de courtes distances.

À la naissance, certains petits ne peuvent se défendre. Ils dépendent entièrement des soins et de la vigilance de leurs parents. D'autres viennent au monde déjà très évolués, après une gestation assez longue. Bien développés, ils naissent avec un pelage, des muscles vigoureux et les sens en éveil.

Ils sont relativement indépendants, bien qu'ils aient besoin d'être nourris et protégés par leur mère pendant un certain temps.

Ce sont essentiellement des herbivores nomades qui vivent au milieu d'importants troupeaux. Même si, au tout début, leurs mouvements manquent un peu de coordination et d'assurance, ils sont capables, à peine nés, de se mettre debout et de tenir peu après le rythme des adultes.

Cette aptitude motrice est un gage de survie. Les petits doivent être immédiatement alertes pour suivre leur mère dans ses déplacements ou intégrer le troupeau, qui leur assure une protection. C'est ainsi qu'ils ont une chance d'échapper aux prédateurs, car les petits sont des proies rêvées. Dans la savane, il n'y a guère de cachettes, et les félins rôdent. Après la naissance, le groupe doit aussi se remettre en route rapidement pour trouver sa nourriture.

D'une espèce à l'autre cependant, le temps nécessaire à la locomotion varie. Le faon reste caché, camouflé par sa robe tachetée, puis, après quelques jours, s'élance allègrement. L'antilope, quant à elle, se dresse une heure à peine après avoir vu le jour, une fois qu'elle a été soigneusement nettoyée par sa mère.

Comme c'est le cas de certains mammifères, il existe des oiseaux qui naissent nus et complètement

Des bébés précoces

démunis. Pour survivre, ils ont besoin des soins que leur dispensent leurs parents. Ils sont cloués au nid et attendent impatiemment la nourriture que ceux-ci voudront bien leur apporter. La plupart des oiseaux chanteurs sont aussi des nidicoles. D'autres oisillons, en revanche, sont beaucoup plus évolués et donc indépendants : ils ne

restent dans le nid que quelques heures, ou tout au plus quelques jours. Ils naissent couverts d'un duvet relativement épais et sont capables de marcher et de se nourrir seuls peu après l'éclosion. Dès leur naissance, les canetons, qui voient et entendent, possèdent un plumage conséquent. Ils quittent le nid à la suite de leur mère et nagent aussitôt. Ce sont des poussins nidifuges. Généralement, ces petits se retrouvent seuls avant même d'avoir achevé leur croissance. Faute d'avoir à prendre soin d'eux, les parents s'en détachent rapidement.

Mais certaines espèces sont des intermédiaires entre les plus faibles et les plus costauds. Ainsi les chouettes, les hiboux et les hérons, par exemple, ont un épais duvet à la naissance et les yeux grands ouverts, mais, pour se nourrir, ils dépendent de leurs parents jusqu'à ce qu'ils sachent voler.

Les jeunes rapaces, quant à eux, naissent aussi couverts d'un bon duvet, mais sont aveugles durant quelques jours. Ils sortent du nid de cinq à dix jours avant de pouvoir voler et se tiennent sur les branches des arbres proches.

[1 à 6] Les poussins de l'oie cendrée naissent jaunes, ce n'est que progressivement qu'il deviendront gris Les petits nés au printemps seront capables, l'hiver venu, de suivre les adultes dans leur longue migration.

[1] Âgé de 2 heures, le petit zèbre
peut suivre sa mère.
[2] Le poulain de ce pur-sang anglais galope
à vive allure le jour même de sa naissance.

[1-2] L'éléphante aide l'éléphanteau à peine né
à se dresser sur ses pattes.
[3] Le jeune rhinocéros blanc, tout en continuant
à téter sa mère, commence à se nourrir seul d'herbes,
ce qui le différencie du rhinocéros noir
qui ne consomme que des feuilles.

[4-6] Le gnou à queue noire est dès sa naissance en éveil permanent, guettant l'arrivée des grands carnivores.
[5] Une heure après sa naissance, le jeune bison d'Europe est capable de suivre le troupeau.

[1-2] Avant même de savoir marcher, le bébé hippopotame sait nager. Il se repose sur le dos de sa mère à la surface de l'eau.

[3-4] Le petit dromadaire ne lâche pas sa mère qui le soutient dans sa démarche un peu incertaine.
[5] Les jeunes caïmans à lunettes, aussitôt sortis de l'œuf, se précipitent dans l'eau.

[1] Le jeune puma, encore appelé couguar, ne rugit pas, il ronronne.
Il a une vue très développée lui permettant de repérer ses proies
dans les vastes étendues de l'ouest américain.
[2] Le jeune bison d'Amérique doit obligatoirement se tenir
sur ses pattes à peine quelques minutes après sa naissance,
s'il ne veut pas être abandonné par le troupeau.
[3-4] Les marcassins se tiennent sur leurs pattes dès leur naissance.
[5] Le chamelon est capable de suivre le troupeau 2 heures après sa naissance.

La girafe, après une gestation de 14 mois, donne naissance à un seul girafeau. Mais il arrive qu'une portée comprenne des jumeaux.

C'est d'une hauteur de plus de 2 mètres que le girafeau tombe sur le sol. La mère met en effet au monde son petit en restant debout, les pattes postérieures écartées. Il amortit cette naissance plutôt abrupte en atterrissant sur ses pattes antérieures, qui supportent le choc de la chute.

Une demi-heure plus tard, le girafeau se lève et, mal assuré, les jambes tremblantes, il se met à téter, encouragé par sa mère, qui le flaire avec délicatesse tout en le dirigeant vers ses mamelles. Le lendemain, son petit court déjà dans tous les sens et au bout du troisième jour, il est suffisamment solide pour sauter.

C'est la copie conforme de sa mère en miniature : son cou et ses pattes sont déjà tout aussi allongés, et les dessins de sa robe ne se modifieront guère. Il mesure 1,80 m de haut et bientôt il pourra atteindre, comme sa génitrice, la cime des arbres pour y prélever les feuilles d'acacia, son mets favori. Pour le moment, il se contente de brouter de l'herbe, tout en absorbant le lait très riche de sa mère. Il sera sevré vers l'âge de neuf mois environ.

Pour protéger son petit, la mère le place entre ses pattes de devant et lance de terribles ruades avec ses pattes postérieures. Elle parvient, de cette manière, à le sauver des prédateurs avides. Mais il arrive également qu'elle l'installe, en compagnie d'autres girafeaux, dans un lieu retiré et en surplomb. C'est une façon pour elle de le mettre à l'abri et de le surveiller à distance.

Pourtant, la moitié des girafeaux périssent très

Un girafeau dégingandé

jeunes, avant même d'atteindre l'âge de 1 an, victimes essentiellement des lions, des guépards et des léopards.

Cette mortalité est compensée par une fertilité importante. Les femelles mettent bas en moyenne tous les 20 à 23 mois dès l'âge de 3 ans et pendant une période de 20 ans.

[1] La mère girafe est très attentive à son petit qu'elle défendra avec rage, si besoin est.
[2] Dès leur plus jeune âge, les girafeaux sont capables de brouter les herbes tendres mais aussi les branches couvertes d'épines des acacias africains.
[3] À l'âge de 16 mois environ, le jeune quitte sa mère.

[4] À sa naissance, un girafeau pèse environ 60 kg ;
adulte, il pourra dépasser la tonne.
[5] Au bout d'une semaine, de petites cornes
recouvertes de poils noirs se forment sur la tête
du girafeau ; il les gardera toute sa vie.

95

[1] La mère aide le girafeau à se maintenir debout.
S'il n'arrive pas à marcher seul 1 heure
après sa naissance, il est abandonné et devient
la proie des grands carnivores.
[2] Les femelles girafes vivent en groupe,
chacune protégeant son bébé.

La girafe de Rothschild [1-3] et la girafe réticulée [2-4]
sont des sous-espèces, qui se différencient
par la forme de leurs taches.
Il existe en tout 8 sous-espèces de girafes.

Beaucoup de jeunes animaux se développent dans des nids, mais d'autres sont portés par leur mère dès leur naissance. Certains ont la capacité de marcher après quelques jours, d'autres doivent attendre quelques semaines.

Le petit orang-outan passe la majeure partie de sa journée accroché à sa mère, ce qui n'empêche pas celle-ci de sauter d'arbre en arbre.

Même lorsqu'ils savent se déplacer seuls, certains jeunes continuent pourtant de s'agripper au corps de leur mère; c'est le cas des singes ou encore des marsupiaux. Car transporter sa progéniture, de quelque manière que ce soit, n'est pas simplement une activité pratique. Ce contact étroit donne au petit un fort sentiment de sécurité et représente souvent pour lui une véritable leçon de choses. Dès sa naissance, le bébé kangourou s'installe dans la poche de sa mère et va y rester plus de six mois, s'aventurant rarement à l'extérieur. Ce n'est qu'à huit mois qu'il la quittera définitivement. Avant de savoir marcher, le petit singe possède des bras et des mains suffisamment forts pour se pendre au ventre maternel en s'accrochant à ses poils. La jeune chauve-souris enroule ses ailes autour du ventre de sa mère et prend l'une de ses fausses tétines dans sa bouche. C'est ainsi que, bien

serrée contre elle, elle part en sa compagnie à la recherche d'insectes. De nombreuses espèces portent leur progéniture sur le dos. Il en va ainsi des singes, lorsque les petits ont un peu grandi, et des fourmiliers d'Amérique du Sud. Le jeune singe entoure de ses bras le dos de sa mère et enroule sa queue autour de la sienne. Quelques oiseaux aquatiques font aussi des séjours sur le dos maternel, mais il s'agit plutôt pour eux de se reposer lorsqu'ils sont fatigués d'avoir trop nagé. Certains animaux inférieurs transportent aussi leurs petits jusqu'à ce qu'ils deviennent assez

Être transporté

forts pour se défendre seuls. Ainsi, les nouveau-nés scorpions, grâce à des pattes munies de ventouses, se font porter sur le dos de leur mère pendant une période de trois à quinze jours. Puis ils s'en éloignent provisoirement pour quelques tentatives de chasse et le regagnent ensuite jusqu'à leur complète indépendance.

[1-2] La louve transporte ses petits dans sa gueule, et les louveteaux s'abandonnent docilement à ce mode de locomotion.
[3] Les lémurs Catta s'agrippent fermement au dos de leur mère.
[4] La femelle crapaud accoucheur pond de 50 à 70 œufs que le mâle féconde et transporte sur son dos jusqu'à leur éclosion.

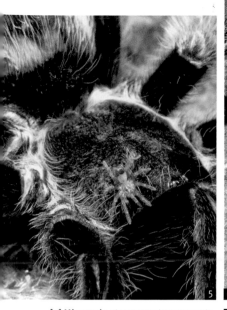

[5] Minuscule et presque transparente, la jeune tarentule s'abrite sur le dos de sa mère, insensible à ses poils urticants qui se dressent lors d'un stress ou d'une attaque.
[6] Le scorpion impérial transporte sa progéniture sur son dos, et gare à celui qui voudrait les dévorer.
[7] La hyène tachetée, comme beaucoup de mammifères, transporte ses petits dans sa gueule.

103

3 [1-2-3] La femelle fourmilier géant donne naissance à un seul jeune qu'elle transporte sur son dos pendant presque 1 an, bien qu'il puisse trotter lentement dès l'âge de 4 semaines ; elle le protège ainsi des pumas et des jaguars.

[4] Le bébé caméléon reste souvent sur sa mère.
Il n'a pas encore la faculté de changer de couleur
aussi rapidement que sa mère.

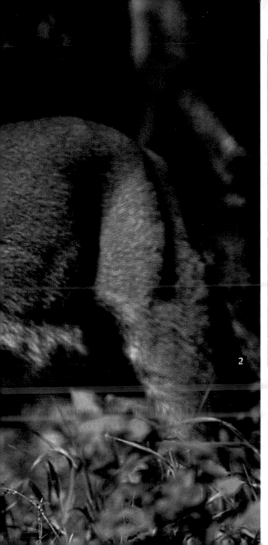

[1] La lionne déplace sans arrêt ses petits
en les transportant dans sa gueule, évitant ainsi
aux hyènes de les repérer.

[2] Le bébé couguar parcourt de longues distances
suspendu à la gueule de sa mère.

[1] Le bébé lémur Catta, accroché au dos de sa mère, apprend à distinguer les feuilles comestibles qui serviront bientôt à son alimentation.
[2] Les bébés propithèques de Verreaux restent plusieurs mois sur le dos de leur mère ; ils n'en descendent que pour jouer quelques heures avec les autres bébés du groupe.
[3] Le petit macaque rhésus est transporté par sa mère suspendu sous son ventre.

[4] Le jeune orang-outan découvre son futur territoire sur l'épaule de sa mère ou de son père.
[5-6] Les mâles singes magots participent à l'éducation des petits, et il n'est pas rare de voir un mâle en porter un.

3 [1-3] Les petits géladas doivent bien s'agripper au pelage de leur mère pour éviter d'être désarçonnés.
[2] Le bébé gibbon se cache sous le ventre de sa mère.

Les premiers pas

[4-5] Les petits chimpanzés adorent se promener à califourchon sur le dos de leur mère, et ils en descendent et y remontent sans arrêt toute la journée.
[6] Le babouin ne laisse jamais à terre sa progéniture afin de pouvoir s'enfuir rapidement devant un prédateur, notamment la lionne.
[7] La femelle magot en chaleur s'accouple avec plusieurs mâles, et le bébé magot ne sait donc pas qui est son père, ce qui ne l'empêche pas de monter sur le dos des mâles.

La chenille du machaon affectionne les plantes de couleur jaune-vert comme ici du fenouil. Ainsi dissimulée, elle est à l'abri des oiseaux.

C ertains animaux ont une croissance régulière et progressive. Leur corps se transforme tout en restant assez semblable : les os s'étirent, les muscles se fortifient et, plus ou moins rapidement, ils atteignent leur taille adulte.

Alors leur développement s'arrête et ils sont capables de procréer à leur tour. Jeunes, ils ressemblaient à leurs parents en miniature. C'est le cas de la plupart des vertébrés.

Le girafeau ressemble à sa mère, tout comme l'éléphanteau ou le poulain. D'autres animaux vont voir leur premier pelage disparaître au profit d'un autre, différent. C'est le cas, par exemple, du phoque ou du manchot. D'autres encore doivent subir de véritables mues pour pouvoir croître.

Leur développement peut d'ailleurs se poursuivre jusqu'à leur mort. Les serpents et les lézards grandissent grâce à des mues successives. La carapace des crustacés se fend avant que leur peau ne se durcisse pour former une nouvelle carapace. La crevette change plusieurs fois de forme avant de devenir adulte.

Pour grandir, certaines espèces doivent subir une véritable métamorphose. À la naissance, ces jeunes n'ont aucune ressemblance avec leurs parents. Le têtard n'a ni les poumons ni les pattes de la grenouille adulte ; les larves de nombreux insectes ne possèdent ni ailes ni pattes, et la chenille est loin d'avoir la beauté du papillon.

La vie d'un papillon se divise en quatre phases : c'est tout d'abord un œuf, puis une chenille qui devient chrysalide et enfin imago, sa forme adulte. La durée de ces cycles varie selon les espèces. Certains s'accomplissent en quelques semaines,

Croître, muer, se métamorphoser

d'autres en plusieurs années. Les papillons pondent souvent plus de 1 000 œufs à proximité des plantes dont les chenilles vont se nourrir, mais seul un nombre réduit atteindra la fin du cycle. Les œufs, pondus à l'automne, éclosent

vers le printemps, lorsque l'atmosphère se réchauffe. La chenille brise alors sa coquille, parfois avec difficulté, et en émerge la tête la première. À peine sortie, elle se met à manger la coque de l'œuf, qui contient de riches substances utiles à sa croissance. En dépit des apparences, la chenille est très complexe ; c'est un animal à part entière. Elle grandit avec rapidité : sa peau se tend, se craquelle, puis tombe. Une nouvelle, plus large, la remplace. Pour accomplir les transformations qui vont faire naître de ses cellules le papillon, il lui faut de l'oxygène et de la nourriture. Certaines se développent à l'abri des regards, cachées à l'intérieur des feuilles, d'autres effectuent leur croissance au grand jour. Les chenilles sont très menacées : elles sont la proie des oiseaux qui en nourrissent leurs petits et aussi des mammifères et de quelques insectes. Mais elles possèdent des techniques de défense élaborées : certaines se camouflent, d'autres ingurgitent des plantes vénéneuses qui leur donnent des couleurs vives éloignant les prédateurs, d'autres encore savent se laisser tomber à terre lorsqu'elles se sentent menacées. Quand elle atteint sa taille définitive, la chenille se fixe sur une tige ou sous une feuille. Sa peau se fend complètement et laisse peu à peu apparaître la chrysalide. Elle restera sous cette forme de quelques semaines à quelques mois avant de devenir papillon.

[2] Sorti du nid, le faucon crécerelle est recouvert d'un duvet blanc.
[3] Ce têtard va se transformer en grenouille.
[4] Le jeune manchot royal semble plus gros que ses parents.
[5] Le gecko léopard mue plusieurs fois dans sa vie.

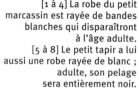

[1 à 4] La robe du petit marcassin est rayée de bandes blanches qui disparaîtront à l'âge adulte.
[5 à 8] Le petit tapir a lui aussi une robe rayée de blanc ; adulte, son pelage sera entièrement noir.

Avant de devenir papillon,
la chenille de l'étoilée des arbres arbore
de petites houppettes jaunes,
censées effrayer les oiseaux.

Le renardeau polaire, dès le premier hiver de sa vie,
change de fourrure : elle devient blanche
comme la neige qui l'entoure.

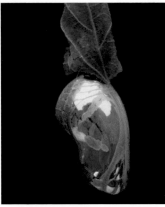

[1] La chenille de la piéride du chou est un parasite des jardins potagers.
[2] La chenille de l'écaille pourprée a des poils très urticants.
[3-5-7] Les chrysalides de l'Euploea ont des reflets argentés, elles sont souvent appelées « insectes bijoux ».
[4] La chenille du sphinx tête-de-mort ne craint aucun prédateur, protégée par sa chair toxique.

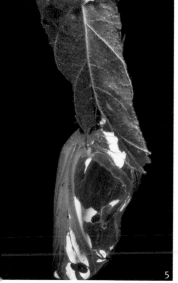
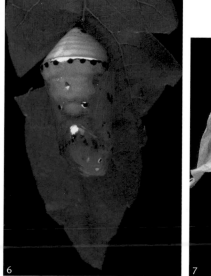
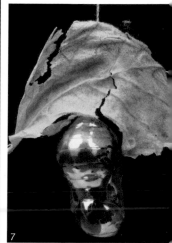

5 6 7

[6] Le *Danaus* et sa chrysalide dorée
sont aussi appelés insectes bijoux.
La chenille du sphinx demi-paon tente
d'impressionner les oiseaux en arborant
une pointe imitant une épine acérée.

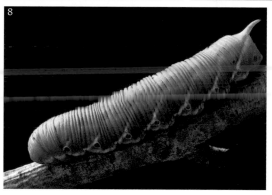

8

1 **2**

3 [1 à 3] La chenille s'est transformée en chrysalide, d'où va sortir ce magnifique morpho bleu.

122

[4-5] Une chrysalide translucide se déchire pour libérer son papillon.
[6] Certaines chrysalides, pour éviter d'être repérées, imitent à la perfection une feuille.
[7] Les chenilles de la livrée des arbres sont très voraces, elles sont capables de dévorer les feuilles d'un arbre entier en moins de 1 mois.

L a vie a commencé dans les mers et, pendant des centaines de millions d'années, les animaux ne connurent que l'eau. Certains y sont restés et n'ont jamais foulé la terre ferme. C'est le cas des poissons, de quelques insectes, comme les notonectes, ou encore de quelques formes inférieures de vie, tels les mollusques, les méduses ou les crustacés.

Mais d'autres sont sortis des océans pour coloniser les terres. Depuis, quelques-uns mènent une double existence. La plupart des vertébrés qui fréquentent l'eau s'aventurent aussi sur la terre. Les mammifères marins partagent inégalement leur temps entre les éléments solide et liquide. Mais ils sont beaucoup plus agiles dans l'eau. Les baleines, quant à elles, ne quittent évidemment jamais la mer, tout comme les vaches marines, représentées par les dugongs et les lamantins. Cette vie double les fait revenir dans l'eau pour procréer ou en sortir pour les mêmes raisons.

Les pingouins, les albatros, les manchots, les crocodiles et les tortues viennent pondre leurs œufs sur le sol. En effet, il n'est pas facile de couver dans l'eau. Un certain nombre d'oiseaux, comme les cygnes, les fous ou les mouettes, fréquentent à la fois l'eau et la terre.

Quelques petits naissent en sachant déjà nager, mais d'autres ont besoin de leurs parents pour quitter la terre ferme. Le petit phoque doit se plonger très vite dans l'océan glacé pour y trouver de quoi se nourrir, tandis que le jeune hippopotame a besoin de rafraîchir sa peau fragile dans l'eau, qui va le protéger du soleil brûlant. La jeune loutre, quant à elle, ne consent à plonger que si sa mère l'y oblige. Ce qu'elle fait lorsque son petit a environ un mois et que sa fourrure ventrale est devenue assez imperméable.

Lorsqu'elle sent approcher la naissance de son petit, la femelle phoque du Groenland se met à la recherche d'un endroit où la banquise est suffi-

Dans l'eau et sur terre

samment épaisse. De la glace trop fine risquerait en effet de mettre en danger la vie du nouveau-né. Il vient au monde sur la glace, bien développé, avec une toison blanche et drue. Il reste étendu sur la banquise pendant une dizaine de jours, occupé à dormir ou à téter.

Pour affronter le froid glacial, il lui faut prendre des forces très rapidement. Ce qu'il fait en se constituant des réserves de graisse, grâce au lait particulièrement riche de sa mère. Celle-ci, en revanche, maigrit beaucoup, car elle cesse de s'alimenter durant toute la phase de l'allaitement. Le blanchon s'arrondit très vite. À deux semaines, il pèse plus de 30 kilos, et sa fourrure devient de plus en plus blanche.

Au terme de cette période, sa mère l'abandonne brusquement à son sort, pour rejoindre le groupe des adultes. Désespérés, les petits se serrent alors les uns contre les autres en poussant des cris déchirants durant quelques jours. Une fois calmé, le petit phoque entre dans une période de jeûne et d'attente. À la fin de la deuxième semaine, la mue le débarrasse de sa fourrure immaculée. Lorsqu'il décide, une fois ce processus terminé, de gagner l'eau pour s'alimenter, il a parfois perdu plus de 15 kilos. Pour rejoindre la mer, il se tortille laborieusement. Sa nage est encore malhabile : incapable de se maintenir sous l'eau, il attrape de petits crustacés à la surface. Pourtant, plus tard, il se déplacera avec beaucoup d'agilité grâce à son corps fuselé et à ses pattes arrière palmées.

À un an, il se jette à l'eau pour un long voyage. Il va remonter vers le nord, solitaire. Après un périple de 3 000 kilomètres, qui dure plus de deux mois et demi, il retrouvera la communauté des adultes.

1 [1] Le nom de blanchon provient de l'épaisse fourrure blanche du petit phoque.

[2] Les premières semaines de sa vie, le bébé phoque ne sait pas nager.

[3] À sa naissance, le bébé phoque mesure environ 80 cm ; Il grossit en moyenne de 2,5 kg par jour pendant la période d'allaitement, qui dure environ une dizaine de jours.

[4] Au début de sa vie active, le jeune phoque ne mange que des crabes et des mollusques ; adulte, il avalera plus de 5 kg de poissons par jour.

[5] La mère reconnaît son petit en le reniflant.

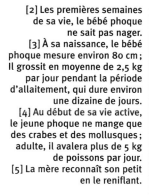

[1-2-3] Les jeunes otaries des Galápagos passent le plus clair de leur temps sur les rochers du bord de mer. Elles se prélassent au soleil puis plongent dans l'eau pour se rafraîchir.
[4] Le petit éléphant de mer ne possède pas encore de protubérance sur la tête ; adulte, elle lui servira à impressionner les autres mâles.

128

[5] Le petit phoque à capuchon doit, dès la fin du sevrage, quitter la banquise et se jeter à l'eau pour trouver sa nourriture.
[6] Le fou de Bassan vit toujours en bord de mer.
[7] Le phoque du Groenland n'est pas très à l'aise sur la banquise, il ne dépasse pas les 2 km/h; dans l'eau, sa vitesse atteint les 40 km/h.

[1 à 4] Chez les otaries des Galápagos, l'accouplement a lieu dans l'eau. La femelle donne naissance à un petit sur la terre ferme, après s'être retirée dans un endroit préalablement choisi. À sa naissance, le bébé otarie pèse de 5 à 6 kg. Un an plus tard, il pèsera déjà de 20 à 30 kg.

[5 à 8] La mère et le bébé otaries se reconnaissent au cri et à l'odeur. Le petit tétera pendant 1 an, avant d'être totalement livré à lui-même. Un orphelin n'a aucune chance de survie, car il est rejeté par toutes les autres mères.

[1] Les canards colverts, lorsqu'ils ne sont pas en vol, passent leur journée sur des plans d'eau.
[2] La couleur rose des flamants vient de leur alimentation dans les eaux saumâtres où ils mangent une espèce de crevette appelée *Artemia salina*. Cette dernière est aussi à l'origine de la couleur rose des salins.
[3] La petite tortue de Floride ne peut pas survivre si elle n'a pas à proximité un point d'eau pour s'hydrater.

[4] En été, la bernache nonnette fréquente les falaises et les éboulis des îles arctiques. En hiver, elle habite les prés inondés et les marais côtiers, les rives basses des baies maritimes et les vasières à marée basse.

[5] Le raton laveur est un bon nageur. Sur terre, plus vulnérable, il se réfugie alors souvent sur les arbres.
[6] Les bébés couleuvres vert et jaune s'abritent souvent dans les fleurs de nénuphar où ils capturent des insectes.
[7] Les loutres s'accouplent dans l'eau. Après une gestation de 60 jours, la femelle donne naissance à 1, 2 ou 3 loutrons.

5   6

[1 à 4] C'est dans l'eau que les hippopotames se sentent le mieux. Immergés, leur masse devient plus supportable. Il peuvent rester en apnée plus d'un quart d'heure.

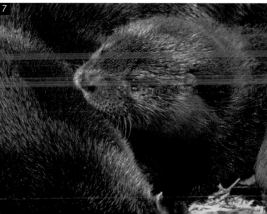

7

137

Un certain nombre d'espèces animales ont disparu à cause de cataclysmes naturels. D'autres se sont éteintes lentement faute d'avoir pu s'adapter aux changements de leur milieu. Mais, depuis le Moyen Âge, ce phénomène s'est accéléré.

En trois siècles, plus de quatre cents espèces ont cessé d'exister en raison des modifications importantes de l'environnement et d'une chasse excessive. Dans chaque milieu naturel existe une multitude de chaînes alimentaires : les animaux sont à la fois des proies et des prédateurs. Les jeunes sont évidemment des victimes faciles, mais bien d'autres menaces planent. Pour gagner de l'espace, les hommes détruisent la forêt tropicale. La disparition de la végétation et des abris naturels signifie la perte de milliers d'animaux. Où donc la femelle trouvera-t-elle les fruits et feuilles nécessaires pour se nourrir et alimenter son petit ? La destruction des marais et marécages entraîne la disparition de communautés entières d'alligators, de lamantins et d'oiseaux aquatiques. Les déchets chimiques ou radioactifs polluent l'air, la terre et les eaux et s'accumulent à petites doses dans le corps des animaux, les empoisonnant lentement mais sûrement. Le DDT, puissant insecticide, a eu pour effet de modifier la coquille des œufs d'oiseaux. Devenus très fragiles, ils se brisent dans le nid. C'est ainsi que la population des pélicans bruns des côtes sud d'Amérique a été considérablement réduite, empoisonnée par des poissons contaminés par le DDT.

Par ailleurs, on continue à chasser des espèces menacées pour fabriquer des produits de luxe : fourrures, maroquinerie, mets rares et exotiques... Pour satisfaire touristes ou collectionneurs, des braconniers partent encore à la recherche d'œufs,

Des animaux en danger

de plumes rares, etc. Mais heureusement, les pays ont adopté des lois, pris des dispositions de protection. Beaucoup d'espaces protégés ont été créés. Dans les zoos, de nombreux animaux se reproduisent et élèvent leurs petits avant qu'ils ne soient, pour certains, réintroduits dans leur environnement naturel.

[1] Les marcassins sont souvent victimes des automobilistes lorsqu'ils traversent les routes.
[2-3] Les tortues d'Hermann ont fait l'objet d'un important trafic. Devenues animaux de compagnie, elles sont aujourd'hui totalement interdites à la vente.
[4] L'orang-outan ne vit qu'à Bornéo dans des forêts épaisses ; celles-ci sont de plus en plus défrichées, réduisant chaque jour l'aire de vie de ces singes.
[5] La panthère noire n'existe pratiquement plus qu'en captivité.
[6] Les caïmans à lunettes, après avoir été chassés pour leur peau, sont aujourd'hui strictement protégés.

[1-2 et page de droite] Le propithèque de Verreaux, comme tous les lémuriens, ne vit qu'à Madagascar. La destruction de la forêt met de plus en plus en danger sa survie.
[3] Les faons sont souvent victimes des chiens errants et des loups.

[1] Aujourd'hui, beaucoup de bébés orangs-outans
naissent dans des réserves.
[2] Les lamantins, dont certains pensent
qu'ils sont à l'origine de la légende des sirènes,
sont de plus en plus menacés par les hélices
des embarcations à moteur
qui les mutilent ou les tuent.

[1 à 4] Les tigres du Bengale sont des animaux solitaires, chacun ayant son propre territoire. Pour se reproduire, le mâle d'un domaine voisin rend visite à la femelle sur son domaine.
Après l'accouplement, le mâle retourne aussitôt sur son propre domaine et ne participe pas à l'éducation des jeunes.
Les jeunes tigres restent 2 ou 3 ans avec leur mère. Chassés pour leur peau, ils sont aujourd'hui strictement protégés.

4

[1-2] Durant sa vie, une femelle orang-outan donne naissance à 4 ou 5 petits seulement. Sevré vers 3 ou 4 ans, le jeune reste avec sa mère tant qu'elle n'a pas donné naissance à un autre bébé.

[3-4] L'orang-outan est le plus menacé des grands singes, le principal danger étant le déboisement qui détruit son habitat. Il pourrait disparaître d'ici à une quinzaine d'années.

[5] Les bébés, véritables peluches, capturés par des braconniers, sont vendus comme animaux de compagnie.
[6 à 8] Les femelles possèdent des territoires d'environ 2 km² qui se chevauchent, tandis que les mâles occupent un terrain d'environ 8 km².

149

La femelle rhinocéros
n'a qu'un seul petit,
après une gestation
de 18 mois.

Le petit rhinocéros d'Afrique vient au monde les yeux grands ouverts et se tient debout à peine une heure après sa naissance. Sa peau est dépourvue de poils et il ne possède pas encore les précieuses cornes qui font aussi son malheur. Celles-ci ne pousseront véritablement qu'après le sevrage.

À mesure qu'il grandit, la corne de devant s'incline vers l'arrière et devient de plus en plus pointue. Les premiers jours, par prudence, mère et jeune demeurent cachés dans la végétation. Puis, tous deux partent faire le tour du territoire, le petit guidé par la corne maternelle. Très proche de sa mère, le jeune rhinocéros la suivra partout pendant plusieurs années et ne la quittera que lorsqu'elle mettra au monde un nouveau petit.

Elle le défend contre tous les dangers, s'interpose sans hésiter entre lui et les éventuels prédateurs. De toute façon, elle a l'habitude de charger furieusement au moindre bruit suspect. Mais ce ne sont pas les autres animaux qui représentent pour le jeune rhinocéros et sa mère la plus grande des menaces. Ni le manque de nourriture. Dès que les cornes de l'animal se seront suffisamment développées, l'homme se mettra à sa poursuite. Car il prête malheureusement à ces protubérances des vertus aphrodisiaques. Il les réduit en poudre ou en fait, pour satisfaire son goût, des poignards d'apparat. Victimes d'une chasse intensive, deux des trois espèces de rhinocéros asiatiques ont pratiquement disparu. Bien que dorénavant protégées, les espèces africaines ne sont pas pour autant à l'abri. Par ailleurs, le rhinocéros n'est pas très prolifique : il ne se reproduit que tous les trois ans.

La corne du rhinocéros

Un oiseau, le pique-bœuf, l'accompagne en permanence dans tous ses déplacements et le débarrasse de ses parasites. Sentinelle vigilante, il le prévient au moindre événement inhabituel. Si un homme s'approche, l'oiseau manifeste une grande inquiétude, que le rhinocéros comprend immédiatement.

[1-2] Le petit rhinocéros ne s'éloigne guère de sa mère ; il la tète régulièrement, buvant plus de 20 litres de lait par jour.
[3] La corne du rhinocéros a bien failli causer sa perte, car elle aurait des vertus aphrodisiaques.
[4] Les rhinocéros se déplacent le plus souvent en fin de journée ; en pleine chaleur, ils se reposent à l'ombre des grands arbres.
[5] Dès sa naissance, le bébé rhinocéros possède une corne, qui va grandir et s'effiler.

[1] La femelle du rhinocéros noir met au monde un seul bébé
après une gestation de 500 jours.
[2] À sa naissance, le petit rhinocéros pèse 40 kg ; adulte,
il dépassera 2,5 tonnes. Le rhinocéros noir est une espèce menacée.

[1] Le rhinocéros blanc est toujours
accompagné d'oiseaux, les pique-bœuf,
qui le débarrassent de ses parasites.
[2] En grandissant, les rhinocéros voient
leur peau former des bourrelets,
et ils semblent alors couverts d'une armure.
[Page de droite] Même les buissons
très épineux ne résistent pas
à l'appétit des rhinocéros.

3 [1-2-3] Les rhinocéros sont des herbivores paisibles, mais les femelles peuvent devenir très agressives lorsqu'on s'approche de leur progéniture et sont capables de charger à la moindre alerte.

[4] Ce jeune rhinocéros noir âgé de 2 ans vient tout juste d'être sevré ;
il commence alors sa vie de solitaire.

L'apprentissage
et le jeu

De nombreux animaux sauvages n'ont jamais vu leurs parents, certains n'ont même jamais été en contact avec d'autres individus de leur espèce. Et pourtant, ils se comportent spontanément comme eux. Dans leur patrimoine génétique, les animaux reçoivent un certain nombre d'informations et de traits spécifiques qu'ils transmettront à leur tour aux générations suivantes.

Le *Pogona vitticeps* est un lézard qui s'apprivoise facilement ; très vite il apprend à reconnaître celui qui le nourrit. Les animaux proposés en animalerie sont tous issus d'élevage, car ce lézard australien est strictement protégé.

Pour devenir un adulte accompli, le petit a besoin d'en passer par l'apprentissage de la vie. À sa naissance, un lapereau ignore qu'il doit échapper au renard. C'est en situation qu'il l'apprendra, parfois à ses dépens. L'expérience et l'imitation des adultes viendront compléter et enrichir les réflexes du jeune animal. Il observe et tire aussi profit des diverses épreuves qu'il traverse : il commet des erreurs, se les remémore, résout de nouveaux problèmes et ainsi progresse. Car la plupart des animaux ont la capacité de modifier leur comportement : les épreuves stimulent leur intelligence.

Le jeune ne se contente pas d'imiter ou d'expérimenter, il reçoit de véritables leçons de ses parents. Un singe peut, encourager sa progéniture à préférer un aliment plutôt qu'un autre.
Quoi qu'il en soit, de ses propres dispositions héréditaires dépend pour beaucoup sa faculté d'apprendre: aucune leçon ne pourra jamais faire voler un éléphant !
Les expériences de l'enfance ont donc une grande importance. Elles déterminent les futurs comportements de l'animal. Sa survie en dépend souvent. Les animaux nouveau-nés ont tout à découvrir.

Recevoir, acquérir, apprendre

Dès qu'ils sont en mesure de quitter le terrier ou le nid, ils se mettent à explorer avec curiosité et application ce qui les entoure. Chaque chose se grave dans leur mémoire. Car les animaux possèdent une mémoire, même si, comparée à celle des hommes, elle est plus limitée et infiniment moins complexe.

[1] C'est par imitation, en voyant leur mère, que les geckos léopards apprendront à reconnaître ce dont ils ont besoin.
[2] C'est par le groupe que le petit lycaon apprendra à chasser en meute.
[3] Le poulain de Prjevalski se dirige par instinct vers les mamelles de sa mère.
[4] L'ânon va par tâtonnements repérer les herbes qui sont à son goût.

[5] C'est en jouant que les lionceaux apprennent à chasser.
[6] La lionne apprend à ses petits à se placer contre le vent pour ne pas se faire repérer par leurs proies.
[7] Les lionceaux sont déjà dotés d'un instinct qui les pousse à tuer pour se nourrir.

3 [1] Le jeune chimpanzé reste proche de sa mère pendant des années.
[2] C'est par instinct que le bébé trouve la mamelle de sa mère.
[3] Dès son plus jeune âge, le chimpanzé a des mimiques qui renseignent sans ambiguïté sur ses états d'âme.

[4] Très proche des humains, ce jeune chimpanzé semble réfléchir.
[5] Le chimpanzé s'amuse à reproduire les gestes des autres, c'est un grand imitateur.
[6] De ses yeux grands ouverts, ce bébé chimpanzé découvre le monde qui l'entoure.

167

[1] La bécassine des marais expérimente seule la technique pour s'envoler.
[2-3] Ce sont toujours les femelles qui apprennent au petit guépard à chasser.

[4] Le petit chevreuil, en imitant sa mère, apprend à se cacher des prédateurs ; d'instinct il fuit devant l'homme.

La femelle chimpanzé
va allaiter son petit
pendant des années.

L e chimpanzé naît aveugle, sans poils et si faible qu'il a à peine la force de s'agripper à la fourrure de sa mère. Elle compensera cette fragilité en prenant soin de son petit pendant de longues années, bien au-delà de sa période de vulnérabilité.

Jusqu'à l'âge de trois ans, le jeune partagera son nid, juché dans les arbres. Et elle continuera à l'allaiter très longtemps, des années parfois, alors qu'il se nourrit déjà des mêmes aliments qu'elle. Elle déploiera une attention sans faille et veillera, notamment, à ce que les autres adultes du groupe, fascinés par les petits, résistent à la tentation de toucher le sien ou même de le lui enlever !

Au début, le petit ne fait qu'un avec sa mère, qui le garde étroitement serré contre sa poitrine. Il l'accompagne dans toutes ses activités. Le petit chimpanzé dort contre sa mère toutes les nuits sans exception. Il fait aussi la sieste dans ses bras. Ensemble, ils se lèvent à l'aube et partent à la recherche de nourriture. Elle apprécie les fruits, les feuilles, les œufs, les insectes, la banane étant son mets de prédilection. Quand son petit pourra ingurgiter des aliments solides, elle partagera avec lui tout ce dont elle se nourrit.

Quelques mois plus tard, il sera suffisamment fort pour se tenir à califourchon sur son dos. C'est à ce moment-là qu'il commence a s'intéresser vraiment au monde extérieur, à inspecter tout ce qui l'entoure.

Mais auparavant, il n'aura eu de cesse que de jouer : fausses bagarres, poursuites, chatouillements, mordillements... Avec sa mère, puis avec les autres jeunes ou avec des adultes du groupe. Des

Le long apprentissage du petit chimpanzé

amitiés se tissent, qui, pour certaines, pourront durer toute une vie.

Le petit chimpanzé aura une très longue enfance, mais, brusquement, les liens maternels se déferont : le jeune aura alors atteint l'âge de treize ans.

[1] L'enfance d'un chimpanzé
est très longue et dure plus
de 10 ans.
[2-3] Le petit chimpanzé explore
sans arrêt son environnement.
[4-5] Par plaisir ou par simple
gourmandise, le petit chimpanzé
grignote des tiges
ou du feuillage.

[6-7] Passer de branche en branche semble le jeu préféré des petits chimpanzés.
[8] À la moindre alerte, le bébé chimpanzé retourne dans le giron de sa mère.

175

Bien que dépourvus de la parole, les chimpanzés communiquent par gestes et grâce au regard.

[1] Les petits chimpanzés sont très curieux.
[2] Toujours collé à sa mère, le bébé chimpanzé tète à longueur de journée.
[3] Il semble parfois que les chimpanzés rient, mais c'est le propre de l'homme.
[Page de droite] Bien qu'aimant grimper aux arbres, les chimpanzés passent le plus clair de leur temps au sol.

L'apprentissage et le jeu

[1 à 3 et page de gauche] Les différentes mimiques du visage des jeunes
chimpanzés présagent que ce singe va devenir le plus intelligent des animaux.

1 2

3

4

[1 à 7] Le jeune chimpanzé
est un excellent grimpeur ;
il utilise ses quatre membres
pour se déplacer de branche
en branche. Ses sauts sont
souvent accompagnés de cris
d'excitation. Ils sont
les prémices de sa future
conquête de territoires.

3 [1-2-3] Les chimpanzés font l'objet de trafics monstrueux : ils sont vendus en tant qu'animaux de compagnie ou, pire encore, pour alimenter certains restaurants.
[4-5-6] Le chimpanzé est l'animal le plus proche de l'homme, avec qui il peut communiquer notamment par le langage des signes.

185

Le jeune guépard guette
sa proie avec sa mère ; c'est
vers 6 mois que celle-ci lui
apprend à chasser.

Les jeunes animaux carnivores, poussés par leur instinct, commencent très tôt à mimer des attitudes de chasse. Mais c'est en regardant leur mère agir que la plupart des petits vertébrés s'initient vraiment. L'apprentissage est parfois long, mais certains deviendront de redoutables chasseurs. Ils ne tueront jamais pour le simple plaisir, mais dans le but de se nourrir.

Chaque espèce possède ses propres armes naturelles, plus ou moins élaborées. En fonction de ses prédispositions, l'animal développera des techniques spécifiques. Sa mère lui enseignera comment construire des pièges, se dissimuler, guetter, s'élancer dans

Chasser

de folles poursuites, se regrouper pour augmenter les forces, saisir une proie au vol, pêcher... Ainsi, le petit jaguar apprendra à attirer les poissons en agitant le bout de sa queue dans l'eau. Le petit lynx apprendra à affiner son ouïe et sa vue pour repérer sa proie à l'aube et au crépuscule. Adulte, il sera capable de la détecter jusqu'à 300 mètres.

La mère léopard inculquera à son petit ses deux techniques de chasse ; le jour, en grimpant sur une branche pour sauter sur sa victime, et la nuit, en la traquant au sol. Le petit crocodile apprend à se tapir dans le lit des rivières en attendant que la gazelle vienne y boire, la petite belette à s'avancer, silencieuse, et à bondir au dernier moment pour planter ses dents dans la nuque de sa victime. De son côté, la jeune araignée découvrira comment fabriquer des pièges sophistiqués pendant que la guêpe fouisseuse constatera que pour tuer une abeille, il faut la piquer sous le « menton ».

Après la phase d'observation vient celle de l'expérimentation. À ce stade, les petits s'exercent, tout en jouant, à mesurer les limites de leur force et les effets de leurs mouvements. Puis leur mère les fait enfin participer à la chasse. Il n'est pas rare qu'elle leur donne un coup de main en empêchant, par exemple, la victime désignée de fuir.

186

[1] Le lionceau s'amuse avec une carapace de tortue que sa mère a chassée.
[2-4] Les guépards chassent en terrain découvert et les gazelles de Thomson sont leurs proies favorites.
[3] Les hyènes, même jeunes, n'hésitent pas à s'attaquer à de grands mammifères. Elles subtilisent même souvent les animaux abattus par les lions.

[5-6-7] Chez les lions, la chasse est essentiellement pratiquée par les lionnes, et les lionceaux non sevrés les accompagnent.

Bien que domestiqué, ce petit jack russel terrier retrouve
son instinct de chasseur.

Les lionceaux imitent tant bien que mal leur mère à l'affût.
Lorsque les lionnes passeront à l'attaque, les petits resteront à couvert,
attendant avec impatience le festin annoncé.

[1-2-3] Les renards ont toujours été considérés comme des voleurs de poules, mais, en réalité, ils chassent surtout de petits rongeurs, des lapereaux et des oisillons. C'est la renarde qui initie les renardeaux à la chasse.

[4-5] Les mères lycaons vont apprendre à leurs petits comment isoler une proie et la poursuivre en se relayant sur des kilomètres.

Lorsqu'il vient au monde, après une gestation d'environ trois mois, le bébé guépard ne pèse pas plus de 300 grammes. Il est en général accompagné de deux ou trois frères et sœurs. Aveugle et sans défense, il dépend entièrement des soins de sa mère, qui l'élève toute seule avec un zèle remarquable. Plus tard, s'il a survécu à ses prédateurs, il deviendra un puissant et redoutable chasseur.

Au bout d'une dizaine de jours, ses yeux s'ouvrent et, après trois semaines, il se déplace avec davantage d'assurance. Mais lorsqu'il fait mine de s'éloigner de la tanière familiale, sa mère le rattrape par la peau du cou pour l'y ramener. Elle ne le laissera sortir, pour jouer, que lorsqu'il aura atteint l'âge de deux mois, quelques semaines avant son sevrage. Une cape grise enveloppe alors sa tête et ses épaules. Cette crinière de poils gris disparaît après dix semaines et laisse place à son pelage adulte. C'est à ce moment-là qu'il perd la faculté de rétracter complètement ses griffes contrairement, aux autres félins.

Vers l'âge de six mois, sa mère commence à l'initier à la chasse. Il la regarde faire. Une femelle qui a besoin de nourrir ses petits part chaque jour à la recherche de chair fraîche car les guépards ne sont pas des charognards.

Le jeune reste longtemps près de sa mère ; il ne la quittera pas avant dix-sept mois au moins. Frères et sœurs d'une même portée, devenus indépendants, chassent ensemble et se partagent les mêmes proies un certain temps. Puis les jeunes

Le guépard,
champion de vitesse

femelles quittent le groupe pour vivre seules et se reproduire à leur tour. Adulte, le guépard deviendra le plus grand sprinter de la savane. Sa vitesse peut atteindre 112 km/h ; toutefois, il ne peut la maintenir que sur 300 m.

[1-2-3] Ce sont les femelles guépards qui chassent ; l'affût, souvent très long, se fait en hauteur ou tapi dans les hautes herbes. L'attaque est ensuite extrêmement rapide, la pointe de vitesse d'un guépard dépassant les 100 km/h.

[4-5-6] Les jeunes guépards, tout en continuant
à téter leur mère, ont besoin de chair fraîche.
La femelle qui a des petits doit chasser tous les jours.

197

Les jeunes guépards chassent souvent ensemble. Se précipitant sur un troupeau,
ils arrivent à isoler un individu. Un des guépards se lance alors à sa poursuite ;
il lui faut faire vite car, s'il est très rapide, il ne peut courir vite que peu de temps.

Lorsqu'ils ne mangent pas ou ne dorment pas, les jeunes mammifères passent leur temps à jouer, ce qui est aussi une manière de faire l'apprentissage de la vie. Les petits d'une même portée s'amusent entre eux ou avec leurs parents.

Les loutres adorent faire en famille des culbutes et des glissades sur des pentes boueuses. Dès l'âge de quatre mois, les jeunes dauphins s'éloignent de leur mère et se mettent à jouer avec les autres membres du groupe.

Même si le jeu représente une détente, il n'est pas un simple amusement. C'est une prise de conscience de l'existence des autres animaux. En se bousculant, en se livrant à d'amicales bagarres, les jeunes mesurent la place que chacun occupe dans le groupe. Ils réalisent la force de certains et la relative faiblesse des autres. Ils apprennent ainsi les règles de savoir-vivre, le respect des limites... Comme d'autres, les chatons passent beaucoup de temps à jouer ensemble. Ils se mordillent, se bousculent, s'avancent le dos arqué, la queue dressée, mimant de faux combats. En fait, ils s'initient, d'abord avec maladresse, puis avec de plus

Jouer

en plus d'assurance, aux techniques de la chasse. Ils utilisent diverses tactiques - sauter, surprendre, griffer... - dont ils se serviront plus tard pour attraper des souris. Car le jeu est en grande partie une préfiguration de la chasse.

Les petits ours blancs adorent jouer. Dressés sur leurs pattes arrières, ils se livrent à des ébats qui leur permettent, entre autres, de développer leurs réflexes. Ils ne se font jamais mal, et une fois adultes, ils conserveront le goût immodéré pour cette danse ludique. Le jeu semble réservé aux seuls mammifères, surtout ceux qui vivent en groupe. Plus les espèces sont proches de l'homme, plus elles jouent. Les grands singes comme les orangs-outans, les chimpanzés, les bonobos sont de grands joueurs. Les animaux domestiques en contact permanent avec l'homme, comme les chiens et les chats, jouent aussi beaucoup entre eux ou avec leur maître.

[1-3] Les oursons polaires jouent sans inquiétude auprès de leur mère.
[2] Les jeux des renardeaux sont souvent prétexte à la bagarre, chacun commençant à se positionner dans la hiérarchie du groupe.
[4] Entre eux, les bébés guépards jouent beaucoup, mais déjà s'amorcent les rituels de domination et de soumission.
[5-6] Les chiots jack russel terrier adorent jouer avec des bouts de tissu et des balles.

3 [1-2-3] Le moindre objet est source de jeu pour ces jeunes malinois. Les chiots d'une même portée jouent entre eux souvent jusqu'à l'épuisement. Comme les enfants, les chiots ont souvent un objet fétiche avec lequel ils jouent mais aussi se rassurent.

[4] Ces petits shar-pei, tout fripés, jouent en se mordillant.
Quand ils grandiront, les plis de leur peau seront moins prononcés.

[1] Pour ce marcassin,
courir est un amusement.
[2 à 4] Les jeunes babouins
cynocéphales ont des jeux
qui ressemblent souvent
à des actes sexuels,
c'est une façon d'établir
des rapports de dominance.

[5 à 7] Les jeunes guépards jouent souvent entre eux ou même avec leur mère.

[1-2-3] Ce petit gélada semble danser sur un air de musique.

[4] Le jeu préféré des orang-outans est de sauter de branches en branches.

[5 à 8] Suspendu à une branche, ce petit singe magot joue avec l'eau, essayant d'attraper des poissons, de petits insectes ou même des baies qui dérivent au fil de l'eau.

Si proches, si lointains, les animaux nous fascinent. Les hommes ont tenté de sonder leur intelligence, de saisir leur comportement. Ils ont aussi beaucoup joué avec eux en les métamorphosant. Ils ont inventé des êtres composites, imaginé des monstres fabuleux, des chimères, des dragons, des hydres...

Ces bêtes extravagantes peuplaient déjà la mythologie antique et ont eu leur heure de gloire dans les bestiaires du Moyen Âge. Pourtant, il suffit sans doute de regarder, pas très loin de soi, pour apercevoir des spécimens à l'allure étrange, aux traits bizarres, aux formes excentriques. Nous sommes habitués au cou démesuré de la girafe, à la trompe immense de l'éléphant, à la tête en forme de tube du tamanoir ou encore à la face écrasée du dugong, sans doute à l'origine de la légende des sirènes. Ces animaux sont bien réels, tout en étant assez proches de créatures surnaturelles.

L'inachèvement des jeunes animaux confère sans doute à certains d'entre eux un caractère encore plus insolite. On les croirait tout droit sortis d'une bande dessinée ou d'un film fantastique.

De même, il arrive qu'une absence congénitale de pigment en fasse des albinos, des animaux quasiment blancs. Ils sont alors bien différents de leurs parents, un peu comme leur double fantomatique.

Chez les animaux, le principal rôle des couleurs est le camouflage. La carence en pigments dont souffrent les albinos les rend plus facilement vulnérables et donc repérables par les prédateurs. Ces animaux sont, en milieu naturel, assurés de mourir prématurément, aussi en rencontre-t-on surtout dans les zoos. Certains

Drôles de bébés

d'entre eux sont devenus des célébrités, comme Flocon de neige, hôte du zoo de Barcelone, le seul gorille albinos que l'on connaisse à ce jour. Le zoo de San Diego héberge Goolara, unique exemplaire de koala albinos, et le zoo de Pretoria, en Afrique du Sud, possède un manchot albinos que l'on a surnommé Archie.

[1-2] Le serpent ratier
des mangroves est capable,
même jeune, d'ingérer
en une seule fois toute
une famille de souris.
[3-4] Le nouveau-né gecko léopard
a une apparence très différente
de celle des parents. Il est
entièrement barré de grosses
bandes sombres sur fond jaune,
qui s'estompent avec l'âge,
pour laisser progressivement
place aux motifs mouchetés
des adultes.

[5] L'agame barbu est un reptile très ~~le~~ qui se laisse facilement manipuler.
[6] La rainette aux yeux rouges
a la faculté de se promener
~~sur~~ les surfaces lisses, comme les vitres,
~~grâce~~ à ses ventouses sur chaque patte.
~~[7]~~ Le bébé de la tarente de Mauritanie
reste la plupart du temps
sur la tête de sa mère.

[1-2] Le bébé du manchot royal est toujours recouvert d'une épaisse fourrure.
[3] Le paille-queue est l'emblème de l'île de la Réunion.
Il pond dans le creux des falaises un unique œuf donnant un oisillon ressemblant à une boule de duvet.

[4] Le petit héron cendré possède une houppette sur la tête. Dans le nid, il **se** tient debout, attendant la nourriture apportée par ses parents.
[5-6] Les bébés orvets ont une peau brillante et dorée.

[1] Le poussin de la poule nègre-soie est recouvert
de plumes disposées en tous sens.
[2] Comme les adultes, les petits caméléons
peuvent tourner les yeux indépendamment l'un de l'autre.
[3] Le caméléon de Jackson possède trois petites cornes
pour impressionner ses adversaires.
[4] Le petit anolis de Caroline mesure à peine 2 cm ;
adulte, il ne dépassera pas les 15 cm.

3 [1-3-6] Le phelsume de Madagascar est un petit gecko qui grimpe, grâce aux ventouses sous ses pattes, sur les parois verticales, même les plus lisses.

L'apprentissage et le jeu

[2-4-5-7] Les bébés agames
barbus aiment vivre
en groupe et adorent
se suspendre aux branches.
Ils sont aussi très faciles
à apprivoiser.

La vie de famille

Les colobes vivent en groupe
de 2 à 50 individus, chaque
mère prenant soin de son bébé.

En cas de danger, certains jeunes poissons cichlidés viennent se réfugier dans la bouche maternelle. De leur côté, les jeunes homards se cachent sous le ventre de leur mère. Mais ce sont essentiellement les animaux supérieurs qui peuvent trouver auprès de leurs parents un abri protecteur. Ce rôle est d'ailleurs le plus souvent tenu par la femelle.

En effet, l'importance du père est la plupart du temps réduite, quand il ne s'en est pas allé juste après l'accouplement. De cette tâche, la mère s'acquitte d'ailleurs fort bien, à condition qu'elle ait été elle-même correctement prise en charge lors de sa prime jeunes-se. Son instinct maternel se déclenche automatiquement dès qu'elle perçoit la présence de son nouveau-né. Chez les mammifères, ce lien est d'autant plus fort que la mère donne à sa progéniture son propre lait.

Au début, elle passe le plus clair de son temps à lui prodiguer des soins. Le nouveau-né dépend entièrement d'elle pour son alimentation et sa protection. C'est particulièrement le cas des petits primates, que la mère transporte partout avec elle durant les premiers mois. Les animaux moins démunis à la naissance, tels les antilopes, les girafes, les éléphants... ont droit eux aussi aux mêmes attentions.

Selon les espèces, les jeunes demeurent plus ou moins longtemps dans le giron maternel. La majorité des rongeurs s'en va aussitôt sevrée. Les carnivores, quant à eux, restent un temps beaucoup plus long : ils doivent apprendre à chasser. Mais la mère ne fait pas que transmettre son expérience, elle rassure et donne de l'affection. Des expériences menées chez les singes ont montré qu'en cas de danger, privé de sa propre mère, le jeune choisit plus volontiers une mère protectrice

Des mères protectrices

que nourricière. Un beau jour, le petit doit s'émanciper. Et c'est aussi sa mère, par des gestes parfois un peu brutaux, qui encourage à le faire.

Au-dehors, se tient le père. Il rôde à proximité, mais ne pénètre pas dans la lovière durant les premiers jours. D'ailleurs, la louve ne lui permettrait pas de s'approcher des petits. Pourtant, ils

forment un couple uni que rien, sauf la mort de l'un d'eux, ne peut en principe séparer. A l'intérieur, quelques louveteaux aveugles, sourds et nus tètent leur mère. Elle ne les quitte pas d'un pas pendant plusieurs jours et les gave de lait. Elle a aménagé sa tanière près d'un point d'eau, car elle doit boire beaucoup pour pouvoir allaiter ses petits, et a pu enterrer par prudence de la nourriture à proximité en prévision de cette période. De toutes les façons, le père veille. Il rapporte de la nourriture de ses parties de chasse, avalant des proies dont il recrache des morceaux aux pieds de la louve. Parfois même, ce sont les autres membres du groupe qui la ravitaillent. Après trois semaines, les petits ont les yeux ouverts et ont pris des forces. Ils font leurs

premiers pas dehors et commencent à jouer avec les autres loups de la meute. Lorsqu'ils atteignent l'âge de deux mois, ils se regroupent à proximité de leur tanière, dans un lieu où les adultes viennent les rejoindre.

Là, petits et grands se manifestent toute l'affection dont ils sont capables.

C'est à cette époque qu'ils commencent à accompagner les adultes à la chasse. Ils s'entraînent à dépecer des animaux que leur offrent leurs parents et capturent eux-mêmes de petites proies. Quand arrive l'hiver, les jeunes, âgés de six mois environ, se mettent en route avec les adultes. Car les loups sont des animaux nomades capables de parcourir des dizaines de kilomètres chaque jour.

[1-2-3] Les louveteaux sortent de leur tanière à l'âge de 3 semaines, ils commencent alors à jouer entre eux.
[4] La louve a une portée de 4 à 6 louveteaux.

[1] La laie est très protectrice et peut devenir très agressive si on s'attaque à ses marcassins.
[2] La souris géante est si protectrice qu' il lui arrive quelquefois d'étouffer ses petits en voulant les dissimuler aux prédateurs.
[3] Les oies cendrées vivent en groupe, les femelles s'occupant indifféremment de tous les petits.

[4] La souris est une mère très attentive pour ses souriceaux.
[5-6] Les oies cendrées ne laissent jamais leur progéniture sans surveillance, le mâle et la femelle surveillent les petits.

[1] La poule d'eau ne quitte son nid que
pour aller chercherde la nourriture.
[2] Le taux de reproduction des colobes est très faible,
les mères sont très attentives à leur unique bébé.
[3] La femelle manchot papou défend férocement son unique œuf,
que d'autres femelles cherchent à dérober, ayant perdu le leur.
[4] L'ourse adore jouer avec ses oursons,
les portées comprennent 1 ou 2 petits, plus rarement 3.

[1 à 4] Le magot est un animal social. Il vit en groupes qui peuvent dépasser la trentaine d'individus. Les femelles ne quittent pas leur groupe d'origine, alors que les mâles en changent plusieurs fois durant leur vie. Les groupes sont composés de mâles et de femelles adultes (plus de 5 ans), de sub-adultes (3 à 5 ans), de juvéniles (2 à 4 ans), et d'enfants (0 à 2 ans). Les nouveau-nés reçoivent l'attention de tous, et notamment des mâles, qui leur consacrent beaucoup de temps et les transportent souvent lorsqu'ils ont grandi.

5 6

[5 à 7] Au sein du groupe, il y a une hiérarchie qui est
transmise aux jeunes par leur mère. Ainsi, les filles
restent toute leur vie plus ou moins dominées par
la mère alors que les fils ne le sont que jusqu'à
la sixième année. Les frères aînés restent supérieurs
aux cadets jusqu'à leur cinquième année. Au cours
des déplacements, chaque individu occupe la place
que son rang lui confère : à l'avant, il y a les jeunes
mâles, suivis des femelles avec leurs petits mais aussi
les mâles adultes. À la fin du cortège, il y a un autre
groupe de jeunes mâles.

7

[1] Le girafeau reste sous la protection de sa mère,
mais aussi de toutes les femelles du groupe.
[2] L'éléphante est une mère très attentive,
elle veillera sur son petit pendant plus de 4 ans.

[1] Le canard vapeur est aussi appelé « brassemer », car la femelle, pour protéger ses petits, frappe l'eau avec ses pattes.
[2] La lionne est très attentive à ses lionceaux jusqu'à leur sevrage, ensuite elle les chassera souvent de façon agressive.
[3] La renarde, après être restée 2 semaines dans sa tanière pour allaiter ses petits, continue à être une mère attentive.

[4] Les mères hippopotames protègent leurs petits, surtout lorsque le groupe se trouve sur la terre ferme où rôdent les prédateurs.
[5-6] Socialement très organisés, les lycaons sont dotés du sens du partage ; les mères répartissent sans heurts les proies chassées et en régurgitent une partie pour leurs jeunes restés au terrier.

Le jeune ours blanc deviendra le plus grand prédateur de l'Arctique, le prince de la banquise. Pourtant, il naît absolument sans défense, ce qui le rend dépendant de sa mère durant de longs mois. Vers le début de l'automne, celle-ci se retire dans un trou qu'elle a creusé à 2 ou 3 mètres sous la neige.

Aux premiers jours du printemps, la mère ourse sort de sa tanière avec ses oursons. Avant de s'aventurer sur la banquise, l'ourson va rester collé à sa mère, en la léchant constamment pour se rassurer.

Elle hiberne. C'est là qu'elle va mettre bas ses petits, tandis que le mâle émigre vers le sud. Auparavant, elle a accumulé une quantité de graisse suffisante pour lui permettre de passer l'hiver sans s'alimenter. Aux alentours du mois de décembre, elle donne naissance à un ou deux petits, dont elle va prendre soin avec une attention remarquable. Elle les nourrit d'un lait très riche qui les fait grossir rapidement. Les réserves qu'elle a accumulées lui permettent d'être constamment présente. A sept semaines, ses petits commencent à marcher. Plus tard, ils deviendront des nageurs infatigables et d'excellents plongeurs. Plus à l'aise dans l'eau, ils pourront néanmoins atteindre une grande vitesse sur la terre ferme, et sur la glace glisser avec une rapidité étonnante.

L'ours polaire

Avant qu'ils mettent le nez hors de la tanière, environ quatre mois après la naissance, la mère explore les alentours pour s'assurer qu'il n'y a aucun danger. Elle autorise alors ses petits à s'aventurer dehors. C'est à ce moment qu'ils vont commencer, par le jeu, leur initiation à la chasse et à la vie en général. Dans les premiers temps, le petit groupe réintègre chaque nuit son abri, mais progressivement il s'en éloigne. Et un beau jour, la mère et ses petits le quittent définitivement. C'est le début de leur grand nomadisme.Ce grand déplacement est rendu un peu plus long chaque année car le territoire de l'ours polaire s'amenuise à mesure que les gaz à effet de serre réchauffent l'atmosphère et font fondre la banquise. Les ours affamés s'aventurent même près des habitations et provoquent des accidents. Des brigades spécialisées sont chargées de capturer ces ours et de les ramener en hélicoptère.

[1] L'ourse taquine souvent son bébé ourson.
[2] Pour faciliter la tétée, l'ourse s'assoit.
[3] Les oursons se blottissent au creux de leur mère, qui s'est assoupie.

[4] Lorsqu'il est fatigué, l'ourson grimpe
sur le dos de sa mère.
[5] Les oursons adorent jouer dans la neige.
[6] Les jeunes ours ne s'éloignent
jamais de leur mère.

241

[1] La mère ourse surveille de très près ses oursons.
[2] Sauter et se rouler dans la neige sont les jeux favoris des oursons.
[3] Un bruit suspect et l'ourson se précipite vers sa mère.
[4] Les femelles ne se reproduisent que tous les 3 à 4 ans, le petit naît après une gestation de 8 mois.

4

[1] À sa naissance, l'ourson pèse 700 g.
Adulte, il dépassera les 300 kg.
[2] Souvent, la mère s'abrite avec ses petits
dans un trou pour se protéger du vent.
[3] La femelle dort souvent dans la journée, ses bébés
la mordillent pour qu'elle se réveille.
[4] L'ourse fait découvrir à ses oursons son territoire.
[5] Les oursons aiment s'amuser à se battre.
[6] Les oursons cherchent toujours
à explorer les environs, et leur mère
veille à ce qu'ils ne s'éloignent pas trop.

[1 à 4] Les oursons sollicitent constamment leur mère pour qu'elle les laisse téter. Il arrive que l'ourse les rejette.

246

5 **6**

[5] Il existe une grande tendresse entre la mère et ses petits.
[6] Les bagarres simulées des oursons les préparent au combat qu'ils devront mener adultes pour la défense de leur territoire.
[7] Débonnaire, l'ours n'en reste pas moins un animal extrêmement dangereux, surtout lorsqu'il est avec ses petits.

7

L'attention parentale est la plus grande chez les oiseaux et les mammifères qui nourrissent leurs petits et en prennent soin pendant une période assez longue. Certains vont mener une vraie vie familiale. Les jeunes grandissent aux côtés de leur mère, de leur père et de leurs éventuels frères et sœurs.

Une fois leur maturité sexuelle atteinte, ils partent pour délimiter leur propre territoire et, à leur tour, se reproduire.

Il arrive parfois que les jeunes restent suffisamment longtemps avec leurs parents pour cohabiter avec une nouvelle portée. Ils les aident alors à s'en occuper, ce qui constitue pour eux un apprentissage supplémentaire. La vie familiale garantit davantage de sécurité aux petits : les adultes, qui détiennent l'autorité, les nourrissent et les protègent. Plus tard, les jeunes quittent la cellule familiale au fait des choses du monde.

La majorité des oiseaux sont monogames, au moins pendant la saison des amours. 1e mâle et la femelle restent ensemble pour élever leurs petits. Certains pères participent à la construction du nid, d'autres se contentent d'y apporter de la nourriture. A la fin de la saison de reproduction, les couples se séparent bien souvent. A ce moment-là, les petits ont gagné leur indépendance. Mais certains couples sont unis pour la vie. C'est le cas des oies et des cygnes, dont les jeunes demeurent longtemps auprès de leurs parents, alors qu'ils sont capables de se débrouiller seuls depuis un moment.

Chez les mammifères, la relation dominante est celle de la mère et de son petit. Mais parmi les primates règne souvent une vraie vie de famille.

Des familles unies

Le père et 1a mère gibbon veillent tous les deux sur leurs petits, qui partent vers l'âge de sept ans, tandis que leurs parents restent ensemble. Les castors vivent aussi en famille. Les couples se forment pour la vie, et c'est ensemble, avec leurs petits, qu'ils bâtissent leur demeure avant que ces derniers ne s'en aillent.

[1-2-3] Bien qu'indépendants dès l'âge de 4 mois et demi, les petits du cygne tuberculé vivent entourés de leurs parents durant quatre autres mois. [4] Le nid du cygne tuberculé est construit au bord de l'eau, il est surveillé à la fois par le mâle et la femelle.

5 6

[5-6] Les petits de l'oie de l'Orénoque ne se quittent pas, et ce n'est qu'au moment de la reproduction qu'ils se sépareront pour fonder une nouvelle famille.
[7] Les bébés faucons crécerelles, comme beaucoup de rapaces, sont issus d'un couple formé pour la vie.

7

[1-3] Les ratons crabiers vivent en famille, chaque
membre participant à la protection du groupe.
[2] Chez les éléphants, de jeunes femelles aident
souvent les mères à surveiller l'éléphanteau.
[4] Les guépards vivent en familles composées
de plusieurs femelles et de leurs petits,
ainsi que d'un mâle reproducteur.

4

[1 à 3] Les bisons vivent
en communautés composées
essentiellement de jeunes mâles
et de femelles. Lorsque vient
la saison des amours, des mâles
plus âgés rejoignent le groupe.

[5 à 7] Les petits naissent après une gestation de 9 mois, les bisons n'ont qu'une portée par an, le père reste avec la mère et le petit durant les premiers mois du bébé.

3 [1 à 3] Les canards d'une même portée sont toujours étroitement serrés les uns contre les autres.

[4 à 7] Les capybaras, encore appelés cabiaïs, vivent en groupe d'une vingtaine d'individus dirigés par un mâle dominant. La femelle a une seule portée par an composée de 4 à 6 petits. Les capybaras sont les plus grands rongeurs du monde.

259

La vie de la famille des lions est régie par les lionnes ; ce sont elles qui chassent, qui élèvent les petits et les protègent. C'est pourtant les mâles qui profiteront en premier des animaux capturés, les femelles et les lionceaux mangeant après eux.

Les jeunes zèbres apprennent
très vite à être toujours aux
aguets afin de repérer l'arrivée
des prédateurs, notamment
les lions et les guépards.

I faut à peine une demi-heure au zèbre pour mettre au monde son petit, et encore une vingtaine de minutes et quelques tentatives pour que celui-ci se tienne debout sur ses fines pattes écartées. Après deux heures, il est capable de suivre sa mère au pas. La famille entière assiste à sa naissance, dont le père, qui monte la garde.

Ensuite, la mère éloigne tous ses autres congénères pendant trois ou quatre jours, jusqu'à ce que son petit soit capable de la reconnaître. Elle peut éventuellement autoriser un frère ou une sœur aînés à faire la toilette du nouveau-né. Tâche à laquelle se livre régulièrement le père, attentif et bienveillant. Il surveille sa progéniture et la ramène vers le groupe lorsqu'il lui arrive de s'en éloigner ou de s'endormir. Pendant les premiers mois de sa vie, le petit zèbre suit sa mère dans tous ses déplacements. A la saison sèche, elle s'éloigne parfois pour aller trouver de l'eau, car il lui est indispensable de boire pour pouvoir nourrir son petit. Elle le laisse alors seul ; c'est à ce moment-là qu'il est le plus vulnérable. Les lions guettent. Mais le groupe est généralement bien organisé pour sa défense. Lorsque petits et grands se reposent, un animal veille et, en cas de danger, émet des cris d'alarme répétés. Lorsque les membres d'un groupe sont dispersés par des prédateurs, ils se retrouvent quelques jours après. Les poulains n'ont pas de difficulté à retrouver leur mère, grâce à son odeur ou en reconnaissant le dessin unique des bandes noires et blanches de son pelage. C'est aussi par les dessins de ces rayures que l'on peut distinguer les différentes espèces de

Un petit zèbre bien entouré

zèbres ; il en existe trois : le zèbre des montagnes, de Grévy et de Burchell (ou zèbre de plaine, le plus commun)
Pour signifier à son petit que l'heure du sevrage à sonné, sa mère l'éloigne gentiment et parfois lui mordille les fesses. Mais elle continuera néanmoins à s'occuper de lui pendant de longs mois.

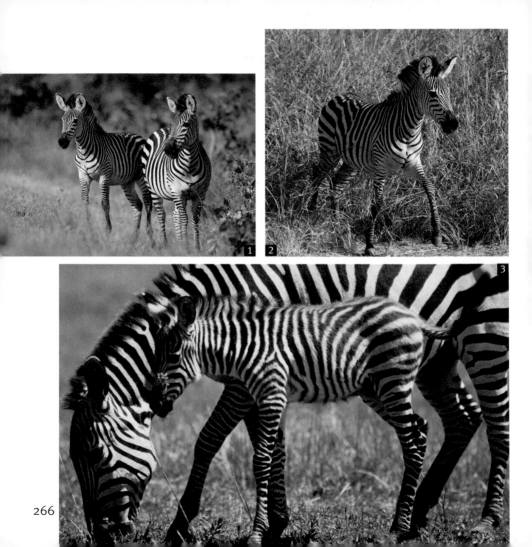

[1] Les jeunes zèbres sont les proies préférées des lions.
[2] Dès sa naissance, le petit zèbre porte la robe qu'il conservera toute sa vie. Seule la teinte se modifiera.
[3] Le petit zèbre tète sa mère durant 6 à 7 mois.
[4] Les rayures de la robe du zèbre se retrouvent partout, même sur la crinière.
[5-6] Les jeunes zèbres vivent jusqu'à l'âge de 2 ans dans une famille composée de 1 mâle adulte et de 1 ou 2 femelles.

267

[1-2] Le petit zèbre ne s'éloigne jamais de sa mère.
[3] Les zèbres vivent en groupes se déplaçant sur de longues distances dans la savane.
[4] Un bébé zèbre isolé va aussitôt être attaqué par les prédateurs.

268

[5] Même après son sevrage, le petit zèbre
reste proche de sa mère.
[6] C'est en imitant sa mère que le petit zèbre
apprend à reconnaître les herbes bonnes à manger.
[7] Les zèbres se couchent rarement,
sauf pour se rouler dans la poussière
afin de se débarrasser de leurs parasites.

[1] Ce petit zèbre est bien camouflé dans les hautes herbes grâce aux rayures de sa robe.
[2] Jusqu'à 2 ans, les jeunes zèbres vont vivre ensemble.
[3] Comme pour beaucoup de nombreux mammifères, c'est en se reniflant que la mère et son petit se reconnaissent.

[4] La robe du bébé zèbre
est quelquefois plus claire
que celle de sa mère, mais
elle s'assombrira avec l'âge.
[5-6] Les marques de tendresse
chez les zèbres sont fréquentes,
surtout entre la mère
et son petit.

I l arrive qu'un jeune chien de prairie regagne par erreur un terrier qui n'est pas le sien. Il est alors accueilli et convenablement soigné. Si les petits lycaons deviennent orphelins, la relève est assurée par les membres de la meute, qui les soignent et les nourrissent à tour de rôle.

Une telle sollicitude suppose l'existence d'une vie communautaire, mais on la rencontre aussi chez des animaux qui élèvent leur progéniture en solitaire. Certains groupes protègent volontiers les jeunes. En cas de danger, les bœufs musqués forment un cercle autour des petits pour les mettre à l'abri. Parfois même, un individu, mâle ou femelle, seconde la mère. Il surveille son jeune lorsqu'elle s'éloigne et le nourrit si nécessaire. C'est une « marraine ».

La lionne allaite souvent des petits qui ne sont pas les siens, ce qui est une pratique très rare parmi les animaux. Et quand elle part à la chasse, une sœur, une cousine ou même un mâle reste avec les lionceaux pour veiller sur eux.

Il règne entre les femelles éléphants une très grande solidarité. Quand l'une d'elles met bas, les autres restent à ses côtés pendant au moins deux jours, jusqu'à ce que le nouveau-né puisse marcher. La vie communautaire permet un autre type d'entraide. Regroupés en crèches plus ou moins vastes, les petits sont gardés par quelques

Des marraines et des crèches

Les loups et les chiens sauvages délèguent un ou plusieurs individus pour veiller sur les petits, tandis que le reste du groupe part à la chasse.

Au moment de la naissance, des « marraines » aident la baleine, tout comme le dauphin, à remonter vers la surface pour respirer. Si la mère est trop fatiguée pour porter son petit, ce sont elles qui s'en chargeront.

adultes, tandis que les parents vaquent à leurs occupations. Lorsque les parents partent en quête de nourriture, les jeunes pingouins, serrés les uns contre les autres, sont surveillés par des membres du groupe. Tout comme les manchots empereurs, que les adultes regroupent en crèches composées de tous les jeunes de l'année.

[1] Les fous du Cap se regroupent par milliers d'individus pour pondre.
[2] Dans ces immenses pouponnières, les cormorans impériaux pondent 2 à 3 œufs bleus couvés par les parents.
[3] Les manchots de Magellan rassemblent leurs petits dans d'immenses crèches. À tour de rôle, les adultes partent chercher de la nourriture pour les petits.

4
5

[4] Les manchots gorfou sauteurs regroupent leurs petits surveillés par quelques adultes.
[5] La femelle du cormoran huppé niche parmi des centaines d'autres.
[6] Lorsque les jeunes manchots de Magellan grandissent, la colonie se déplace vers la mer où ils commencent à apprendre à pêcher.

6

[1-2] Les oies de l'Orénoque élèvent leurs petits en crèche, les femelles s'occupant à tour de rôle du groupe.
[3-4] Les autruchons ne sont jamais seuls : ils sont tous élevés ensemble, dans de petits groupes protégés férocement par les mères.

5

6

[5] Les petits lémuriens fauves à front roux sont gardés par des adultes dans des crèches situées dans les arbres.
[6] Les petits colobes sont élevés par leur mère souvent secondée par une tante, voire une grand-mère.
[7] Les marcassins ne sont jamais laissés seuls : ils vivent en petits groupes gardés par les femelles.

7

L'absence de vie familiale est caractéristique de la plupart des animaux inférieurs. Chez la majorité des insectes, des poissons, des reptiles et des amphibiens, le mâle et la femelle se séparent juste après l'accouplement. Puis, une fois que les femelles ont pondu leurs œufs, elles les abandonnent au bon vouloir de la nature.

Ils sont alors complètement dépendants de l'environnement où ils se trouvent et à la merci de nombreux prédateurs. La plupart vont succomber. Cependant ces animaux pondent de grandes quantités d'œufs, ce qui donne une chance à quelques-uns de survivre tout de même. De plus, la mère fait souvent en sorte de les déposer dans des lieux où sa progéniture trouvera immédiatement de quoi se nourrir. C'est notamment le cas des insectes. Par ailleurs, beaucoup d'espèces dissimulent leurs œufs avant de les abandonner.

Dès la naissance, ces animaux, contrairement aux mammifères et aux oiseaux, doivent donc se débrouiller seuls et faire quasiment sans aide l'apprentissage de la vie. Les poissons dispersent leurs œufs dans l'eau. Les larves, si minuscules à la naissance, risquent d'être dévorées par leurs propres parents ! Il existe toutefois quelques exceptions. L'épinoche ventile ainsi ses œufs à l'aide de ses nageoires pour éviter qu'ils ne moisissent. Les jeunes resteront ensuite avec leur père un certain temps.

De même l'hippocampe mâle prend soin des œufs jusqu'au moment de leur éclosion, dans une poche d'incubation dans laquelle la femelle les a déposés.

Des œufs abandonnés

Les reptiles ne se préoccupent pas de leur descendance. Mais leurs petits disposent d'une réserve de nourriture, le vitellus, qui les aide à survivre au moment de la naissance. Les tortues, quant à elles, sont capables de parcourir des milliers de kilomètres pour pondre. Puis elles repartent aussitôt, abandonnant leurs œufs dans le sable.

[1 à 8] La tortue verte, comme toutes les tortues marines, ne s'occupe pas de ses œufs. Dès leur naissance, les bébés se dirigent vers la mer. Sur la plage, de nombreux prédateurs les guettent. Leur seul salut est de nager le plus loin des côtes. Ils y resteront un certain temps avant de revenir vers le littoral. Les jeunes disposent de réserves qui leur permettent de ne pas s'alimenter pendant les deux premières semaines.

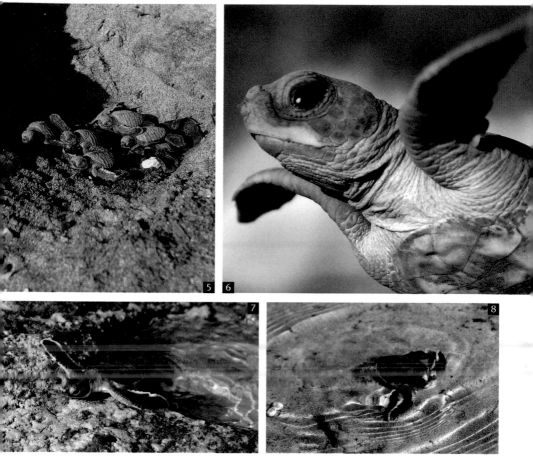

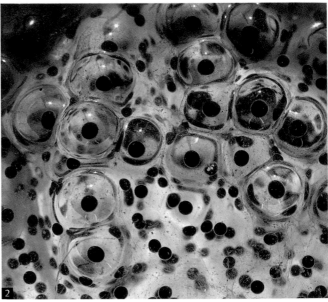

[1] Les grenouilles se désintéressent complètement des œufs qu'elles ont pondus. Les têtards survivent grâce au reste de vitellus présent dans leur corps.
[2] Les œufs de la grenouille rousse sont déposés en grappes sur des eaux calmes.
[3] La couleuvre à collier abandonne ses œufs dans la nature, souvent près d'un point d'eau.

[4] La grenouille rousse pond de 1 500 à 4 000 œufs dans des eaux stagnantes. Les têtards naissent au bout de 2 à 3 semaines. Leur développement dure de 2 à 3 mois jusqu'à la métamorphose.

La vie de
tous les jours

Qu'elles soient pourvues d'une seule paire de mamelles, comme la guenon ou l'éléphante, de deux ou trois paires, comme la vache, ou de cinq à sept paires, comme la truie, toutes les femelles mammifères nourrissent leurs petits avec leur lait.

Cela concerne aussi bien les animaux sans défense, qui restent un moment cachés au fond de leur tanière, que ceux qui se tiennent presque immédiatement debout aux côtés de leur mère.

À peine quelques minutes après leur naissance, les premiers se dirigent, en tâtonnant, vers les précieuses mamelles. Les autres tètent dressés sur leurs pattes ou à moitié accroupis. Souvent, leur mère les aide en les dirigeant au moyen de son museau. Ce moment est très important, surtout les premiers jours. Mère et nouveau-né tissent des liens de reconnaissance, ils échangent leurs odeurs, se prodiguent des marques de tendresse. La période de l'allaitement est très variable selon les espèces : l'éléphanteau tète jusqu'à l'âge de quatre ans, alors que le tanrec, un petit insectivore de Madagascar, est sevré avant une semaine. Les bébés dépendent donc entièrement de leur mère, le rôle du père étant le plus souvent très réduit.

Le lait maternel est généralement très riche et nourrissant, bien que sa consistance diffère selon les espèces. C'est de toute façon le meilleur aliment de croissance : grâce à lui, le bébé grossit très rapidement jusqu'au sevrage. Au début, les petits boivent selon leur bon vouloir, jusqu'à satiété. Mais, peu à peu, les tétées s'espacent. Puis, les animaux passent d'un régime lacté à un régime plus solide. Cependant, il arrive très souvent qu'ils continuent de téter tout en absorbant déjà

L'allaitement des jeunes mammifères

d'autres nourritures.

Mais viendra de toute façon le jour où le jeune prendra son indépendance, ce qui signifie la plupart du temps une rupture avec ses parents. Ce moment coïncide souvent avec le sevrage.

[1-3] Les femelles teckel
à poils courts peuvent avoir des
portées d'une dizaine de chiots.
[2] Le petit malinois sollicite
sa mère très amaigrie
par les nombreuses tétées.

[4-5] Aussitôt sortis du ventre de leur mère, les chatons se dirigent d'instinct vers les mamelles pour prendre leur première tétée. [6] Dès les premiers jours de leur vie, les shar-pei se battent pour téter.

[1] Le petit auroch domestiqué tète sa mère comme le faisaient ses ancêtres sauvages, il y a des milliers d'années.
[2-3 et page de droite] À la naissance, le jeune gerenuk ressemble presque à l'adulte avec ses membres et son cou extrêmement allongés, d'où son nom d'antilope girafe. Pendant la tétée, la mère est toujours en alerte.

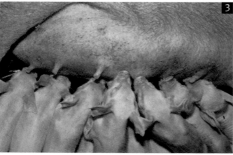

[1] Les marcassins tètent leur mère jusqu'à l'âge de 5 mois.
[2] La lionne fait téter ses nouveau-nés à l'abri des regards.
[3] L'amélioration des races de cochons vise à obtenir des mères aux nombreuses portées.

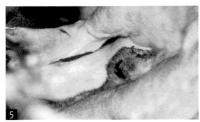

[4] Devenus plus grands, les lionceaux tèteront au milieu du groupe. En se disputant les mamelles, ils commencent à instaurer des relations de dominants et de dominés.

[5] Il ne faut que quelques minutes pour que le nouveau-né lion trouve la mamelle de sa mère.

[6] L'éléphanteau tète avec sa bouche, la trompe levée.

[7] Devenu presque adulte, le zèbre continue à tèter sa mère jusqu'à ce que celle-ci le chasse.

297

[1] Les acrobaties de la mère orang-outan n'empêchent pas son petit de téter.
[2-3] Le nouveau-né magot passe toutes ses premières journées dans le giron de sa mère pour téter.

[4] Le petit bontebok devenu grand
doit largement plier ses pattes
pour continuer à téter.
[5] Le lait de dromadaire est très riche en eau,
ce qui permet au jeune de ne pratiquement
pas avoir besoin de boire.
[6] Le couguar s'isole toujours
pour allaiter son petit.

299

1 2

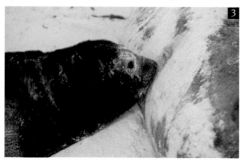

3

[1-2] Bien que l'on ne tue plus les bébés phoques devant leur mère lorsqu'elle les allaite, la chasse continue, et des milliers de ces animaux sont tués chaque année en toute légalité.

[3] Le bébé éléphant de mer, pour signifier à sa mère qu'il a faim, lance des petits cris rauques, ressemblant à des rots.

[4] Les éléphants de mer mâles vivent entourés d'un harem d'une dizaine de femelles. Il est très dangereux de s'approcher d'une femelle éléphant de mer lorsqu'elle allaite, le mâle pouvant charger.

La forme et la couleur
du bec ouvert des oisillons
déclenchent chez la mésange
charbonnière comme un signal
pour nourrir ses petits.

À peine sortis de l'œuf, certains oiseaux, tels les canetons et de petites espèces aquatiques, sont capables de se nourrir seuls. On les appelle des « nidifuges ». D'autres naissent sans défense et doivent être nourris par leurs parents jusqu'à ce qu'ils aient pris des forces. Ce sont des « nidicoles ».

Les parents vont et viennent pour leur apporter des aliments solides : insectes, vers, poissons. Pour recevoir cette becquée, les oisillons se lèvent, pépient et ouvrent tout grand un bec avide. C'est ainsi qu'ils déclenchent le comportement de nourrissage de leurs parents. Les pigeons et les tourterelles nourrissent leurs petits avec un liquide crémeux, qui ressemble à du lait, sécrété par les parois de leur jabot.

Certains oiseaux sont végétariens, ils consomment surtout des graines, comme le pigeon ou la poule. Grâce à leur bec très robuste, les petits perroquets peuvent déjà casser les graines les plus dures. Les merles et les grives aiment les baies, tandis que le bec très fin du colibri et sa langue en forme de pinceau lui permettent de lécher le nectar des fleurs. D'autres oiseaux sont insectivores. L'hirondelle fonce dans les nuages de moucherons, le bec grand ouvert, et rapporte à ses oisillons des boulettes d'insectes. D'autres encore vont à la pêche : les échassiers, comme le flamant rose, fouillent le sable, tandis que certains rapaces saisissent les poissons au vol. Enfin, les oiseaux carnivores, qui sont essentiellement des rapaces, rapportent au nid d'autres oiseaux, de petits rongeurs, des lapins...

A la fin de l'été, quand les insectes, les baies et les fruits viennent à manquer, certains oiseaux réus-

Comment sont nourris les oisillons

sissent à adapter leur régime alimentaire au nouveau climat. D'autres en sont incapables, ils doivent migrer pour chercher ailleurs de quoi se sustenter. Avant de partir, ils font de telles réserves que leur poids peut aller jusqu'à doubler.

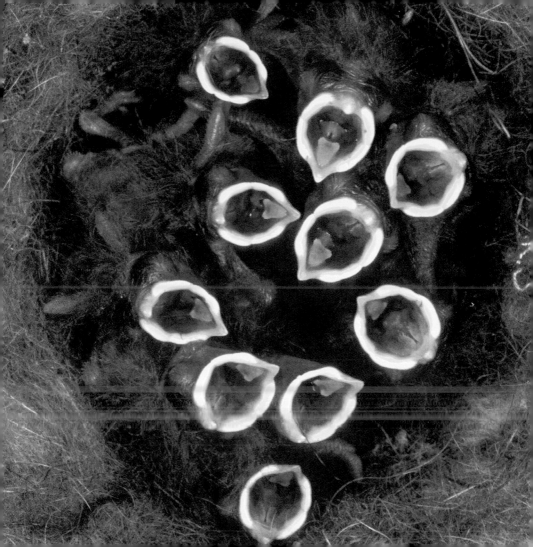

[1] Le marabout d'Afrique apporte des charognes à son petit. Ce sera son régime alimentaire principal.
[2] L'aigle impérial chasse des petits oiseaux, des rongeurs et des reptiles qu'il donne à manger à son oisillon.
[3] Le grèbe huppé plonge dans les étangs pour attraper des poissons pour lui-même et ses petits.

[4 à 7] Les petits de la mésange bleue sont friands de mouches, de papillons, de chenilles et de vers. La femelle et le mâle déposent dans le bec de chaque oisillon une proie vivante qu'ils sont allés chercher à tour de rôle.

305

[1-2] Le troglodyte apporte à son petit des araignées et des insectes vivants.
[3] Le cyrcaëte Jean-Le-Blanc mange essentiellement des serpents. La mère les chasse pour ses petits.
[4-5] Le nid du loriot est en forme de hamac suspendu au-dessus du vide, à l'extrémité fourchue d'une branche horizontale, aussi loin que possible du tronc afin de se protéger des prédateurs grimpeurs comme la martre. Les petits sont nourris avec des insectes ou des baies.
[6] La petite mésange charbonnière ouvre son bec coloré pour que sa mère y dépose de la nourriture.

307

[1] L'hirondelle de cheminée fait d'incessantes
allées et venues pour nourrir ses petits.
[2] La chouette harfang apporte de petits rongeurs
à ses oisillons.

[1-2] Le geai des chênes bâtit en couple un nid garni de fines racines et situé entre 2 et 5 m de hauteur. Les oisillons sont nourris avec des glands, des baies et aussi des lézards. [3-4] La femelle [3] comme le mâle [4] pie-grièche écorcheur nourrissent les petits. C'est une espèce menacée, les couvées sont rares et peu nombreuses.

[5 à 9] C'est comme un ballet qu'accomplit l'hirondelle de cheminée pour nourrir ses petits. Elle est capable de faire du surplace pour déposer un insecte dans le bec de chacun de ses oisillons.

[1] La femelle fou de Bassan régurgite
un poisson qu'elle est allée pêcher
pour son petit.
[2-3 et page de droite] Les bébés
manchots royaux se nourrissent
exclusivement avec les poissons
que sont allés chercher leurs deux
parents à des dizaines de kilomètres.

Le mouflon, ancêtre lointain du mouton, se nourrit de bruyères, de genêts et de graminées.

La préoccupation principale des animaux sauvages consiste à trouver leur nourriture. Pris en charge plus ou moins longtemps par leur mère selon les espèces, les très jeunes mammifères doivent peu à peu apprendre à se débrouiller seuls.

Tandis que leurs dents de lait se développent, ils passent progressivement de l'alimentation lactée à un autre régime : herbivore, carnivore ou encore insectivore.

C'est aux côtés de leur mère que les petits apprennent à se nourrir. Ainsi, ils est courant de voir un jeune singe voler les fruits et feuilles que sa protectrice s'apprête à manger. Bien accroché à elle, il découvre quelles sont les espèces les plus goûteuses. De son côté, le jeune guépard joue volontiers avec les animaux que sa mère a chassés et tués. Comme elle, il deviendra un grand amateur de viande. Une

Ce que mangent les mammifères

fois adultes, les mammifères herbivores possèdent en général de fortes incisives et des molaires plates avec lesquelles ils coupent puis écrasent les diverses plantes. Ils peuvent grignoter - à l'image des rongeurs, comme le lapin, l'écureuil ou la souris-

ou encore brouter, comme le mouton ou le cheval. Les carnivores, quant à eux, ont de fortes canines et des molaires coupantes qui déchiquettent la chair et broient les os. C'est le cas notamment des fauves. Beaucoup d'entre eux, comme le lion et le tigre, ne dédaignent ps les charognes, que la hyène et le chacal affectionnent tout particulièrement. En compagnie des adultes, les jeunes participent déjà au « carnage ». La chauve-souris chasse les insectes tout comme la taupe, le tamanoir et le pangolin. Certains mammifères vont à la pêche : l'ours polaire attrape des canards et la loutre des poissons,

qu'elle déguste sur un rocher. Et comme tous les goûts sont dans la nature, certains animaux ont un régime unique, par choix ou par force : le koala se nourrit essentiellement de feuilles d'eucalyptus et le panda de pousses de bambou dès l'âge de six mois.

[1] Le lémurien fauve à front roux se nourrit de feuilles et d'écorces d'arbre endémiques de l'île de Madagascar.

[3] Le petit babouin se nourrit de fruits, de feuilles, de petits insectes et de vers. Plus tard, il sera capable de manger de grands mammifères comme des antilopes.

[2-4] Les girafes se nourrissent des feuilles hautes des arbres, elles semblent préférer les épineux comme les grands acacias.

3 [1-3] Même non sevrés, les petits mouflons sans cornes, commencent à brouter de l'herbe.
[2] Les chevaux mangent essentiellement des graminées. C'est la mère qui apprend au poulain à éviter les plantes toxiques comme les boutons d'or.

[4] Stimulée par les petits, la louve régurgite la nourriture qu'elle a prédigérée.
[5] Le petit coyote a faim, il lèche sa mère pour qu'elle lui donne à manger.
[6] Le renardeau attend que sa mère ait régurgité la nourriture.

[1] La hyène tachetée se nourrit exclusivement
de viande fraîche ou en voie de décomposition.
[2] Les zèbres se nourrissent d'herbes, ils ne touchent
que très rarement aux feuilles des arbres.

Certains animaux passent beaucoup de temps à dormir, et en particulier les nouveau-nés. Les premiers jours, blottis contre leur mère, ils ne s'éveillent que pour téter. Comme les humains, ils rêvent. Le chat, imagine-t-on, pourrait voir des scènes de chasse dans ses songes.

La durée du sommeil varie considérablement d'une espèce à l'autre. Le lièvre dort très peu, sans doute parce qu'il se sent menacé ; les animaux ont dû adapter leur sommeil à l'environnement. En revanche, les félins peuvent dormir jusqu'à dix-huit heures par jour. Il semblerait d'ailleurs que les prédateurs dorment mieux et davantage que leurs proies. Mais même assoupis, ils restent vigilants : il s'agit malgré tout de veiller sur les petits. Le record est détenu par l'opossum, capable de dormir plus de vingt heures par jour, tandis que le requin ne ferme jamais l'œil. Certains animaux dorment le jour et d'autres la nuit. La chouette, le castor, le renard, la chauve-souris, le lapin, le chevreuil... entrent en activité lorsque le soir tombe, après s'être reposés toute la journée.

Dormir

Ils partent à la recherche de nourriture pour eux et leurs petits. Ils sont parfois accompagnés de leur progéniture, comme par exemple la chauve-souris. Pour quelques animaux, dont le hérisson, l'écureuil, l'ours brun et la chauve-souris, les premiers froids de l'automne signifient le début du grand sommeil. Ils ingurgitent d'importantes quantités de nourriture, puis se retirent pour hiberner dans un abri qu'ils ont soigneusement tapissé d'herbe, de feuilles et parfois de poils. Là, ils sombrent dans une étrange torpeur, tandis que leur organisme se met au ralenti. Ils se réveillent périodiquement et sortent parfois de leur refuge pendant quelques heures, puis vont se recoucher. Durant cette période, il arrive à certains de mettre bas.

La plupart des reptiles et des amphibiens entrent aussi en hibernation jusqu'au retour des beaux jours. C'est à ce moment-là que les animaux, petits et adultes, se réveillent tout amaigris.

[1-2] Le petit renne s'endort sous la surveillance de ses parents.
[3] Comme la plupart des animaux à sang froid, le bébé alligator aime dormir au soleil.

[4-5-6] Les bébés bouledogues français, âgés de quelques jours, passent les trois quarts de leur temps à dormir.

3 [1-2-3] En pleine chaleur, les lions s'abritent sous les acacias et font la sieste. Ce n'est qu'à la tombée du soir qu'ils partiront chasser.

[4] Le lionceau aime se reposer sur le ventre de sa mère assoupie.

[1] Blottis contre leur mère,
ces lionceaux attendent le réveil
du groupe.
[2] Un long bâillement et le petit
lion albinos se réveille.
[3] La lionne et ses petits
profitent de la fraîcheur
d'un sous-bois pour se reposer.
[4] Le faon s'enroule dans
la position du fœtus pour
s'endormir.

[5-6] Dans la journée, le jeune tigre du Bengale bâille et se prélasse. Ce n'est que la nuit qu'il devient très actif.
[7] Après avoir poursuivi des proies avec sa mère, le petit guépard fatigué s'endort.

[1] Sur sa mère endormie, le petit magot se repose.
[2] Les hippopotames viennent sur la terre ferme pour dormir.

Le lion rugit devant son petit, qui apprend ainsi comment faire entendre sa voix et donc affirmer son statut de mâle.

L
e langage, les modes de communication, les expressions propres aux animaux, sont une énigme que l'homme tente de déchiffrer depuis toujours. Les éthologistes, c'est-à-dire les scientifiques qui étudient le comportement des animaux, ont fait d'immenses progrès en leur consacrant d'innombrables heures d'observation patiente. Les animaux disposent de divers moyens, dès leur plus tendre enfance, pour exprimer ce qui relève du sentiment.

Et ils savent signifier aussi la place qu'ils occupent dans le « monde », la position sociale qu'ils revendiquent. Ils communiquent à travers toutes sortes de signes : gestes, attitudes, mimiques, odeurs, signaux colorés, appels sonores. Ainsi, ils ont appris à défendre leur territoire par différents types de marquages : optique, acoustique ou encore odorant. Les adultes savent aussi par des comportements physiques variés avertir les petits de certains dangers ou leur indiquer qu'il y a de la nourriture disponible. Les jeunes, de leur côté, doivent pouvoir signaler à leurs parents qu'ils ont faim ou qu'ils ont peur.

Mais il existe aussi des relations spécifiques et immédiates entre une mère et sa progéniture qui, dans des circonstances très diverses, doivent pouvoir se reconnaître et se comprendre. Dans les toutes premières heures de la vie, les nouveau-nés apprennent à identifier leur mère et imprimes ses traits dans leur mémoire. Ce peut être une forme, un son ou une odeur.

Communiquer, comment les animaux « parlent »

La chèvre, par exemple, ne reconnaîtra son petit que si elle s'est imprégnée de son parfum en le flairant et le léchant juste après sa naissance. Cinq minutes suffisent à ne pas le repousser, plus tard, définitivement.

[1] Le long cou de la girafe l'empêche d'émettre des sons : elle communique avec ses petits par des gestes de tendresse.

Le mainate tout comme le perroquet sont capables d'imiter le langage humain. Mais ils ne font que reproduire des sons sans les comprendre. Les oiseaux, les mammifères, les grenouilles et de nombreux reptiles émettent une variété de sons qui sont autant de signaux sociaux. Les animaux disposent au plus, pour s'exprimer, de trente-cinq signaux différents qui leur servent à prévenir d'un danger, à appeler un congénère, à manifester une émotion... Mais on est loin du langage humain, articulé, élaboré, inventif, même si l'on a pu obtenir d'impressionnants résultats avec des chimpanzés. Entre les parents et leurs petits s'établit donc souvent une communication privilégiée, d'abord très simple et directe, puis plus élaborée. Avant même l'éclosion de l'œuf, les poussins apprennent à reconnaître la voix de leurs parents et réciproquement.

Les crocodiles accourent aussitôt qu'ils entendent le moindre cri de détresse de leur petit. Et les parents savent aussi fort bien signaler à leur progéniture l'approche d'un danger. Certains disposent de plusieurs signaux pour signifier divers périls. Ainsi, l'écureuil de Californie s'exprime de façon très différente s'il aperçoit un rapace ou un serpent.
Les petits apprennent par imitation ce qu'ils perçoivent. Les jeunes oiseaux assimilent des chants avant même de les exécuter. Ainsi, un jeune rossignol privé de ses congénères et qui n'entendrait que le chant d'une fauvette ne pourrait reproduire que celui-ci. Il y a des sons que nous percevons, comme ceux des chiots, des veaux ou des poulains, mais d'autres sont pour nous inaudibles : les chauves-souris et les rongeurs, par exemple, communiquent par ultrasons.

[2] Les immenses oreilles des chauves-souris leur permettent d'entendre les ultrasons émis par leurs congénères.
[3] On dit la pie bavarde !
[4] Les petits manchots de Magellan piaillent pour alerter leurs parents.
[5] Les bonobos sont des singes qui communiquent par de nombreuses mimiques faciales proches de celles des humains, mais ils ne parlent pas.

[1-3] Les lions se lèchent souvent : ce geste correspond plus à une attitude de soumission de celui qui lèche qu'à un geste de tendresse.
[2] La lionne repousse son petit par des rugissements lorsqu'elle ne veut plus qu'il tète.

[4] Le lionceau s'approche avec précaution d'un grand mâle et l'effleure pour lui signifier son allégeance.
[5] Le jeune lion apprend vite à rugir pour affirmer sa position dans le groupe.

3 [1] En griffant l'écorce,
le lionceau y dépose
une substance odorante servant
à marquer son territoire.
[2] Les grognements agressifs
du tigre précèdent toujours
une attaque.
[3] Le jeune chacal affamé
stimule par des lèchements
le museau de sa mère pour
obtenir de la nourriture.

[4] Le brame du cerf attire les jeunes femelles et éloigne les autres mâles.

[1-2-3] Il suffit de montrer à la femelle geai un tissu du même rouge que celui de l'intérieur du bec de ses oisillons pour qu'elle y dépose de la nouriture. [4] Les poussins, privés de leur mère et laissés avec un objet, un autre animal ou un humain, vont le suivre, l'imiter comme s'il s'agissait de leur génitrice.

[5] Les babouins font beaucoup de gestes pour communiquer comme s'ils parlaient avec les mains.
[6] L'épouillage chez les macaques est un rite de communication très important.
[7] La femelle éléphant barrit avant de charger, afin d'impressionner celui qui pourrait faire du mal à ses petits.

[1-2-3] C'est surtout par le son que le manchot royal communique. La femelle est capable de reconnaître le chant de son petit parmi la foule des milliers d'autres.

[4-6] Les petits lamantins communiquent
avec leur mère par des cris langoureux.
[5] Les jeunes dauphins apprennent à émettre
plus d'une dizaine de sons allant
du sifflement au craquement en passant
par des cliquetis et des sons très doux.

[1 à 4] Les chauves-souris européennes comme la grande noctule [1], le murin de Bechstein [2 et 3] et la roussette rougeâtre [4] émettent des cris non perçus par l'oreille humaine.

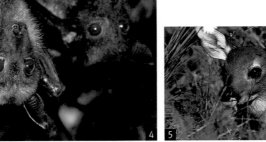

[5] Avant de pousser des ruts puissants, le jeune cerf de Virginie émet des piaillements enroués.
[6] Les gestes de tendresse de la femelle orang-outan sont très proches de ceux des humains.
[7] Le louveteau lèche le museau de sa mère pour qu'elle lui régurgite de la nourriture.

Les jeunes panthères
apprennent très vite à guetter
du haut des arbres leurs
futures proies.

Vers l'âge d'un an et demi ou deux ans, la jeune panthère quitte sa mère pour affronter la vie. Mais, auparavant, elle aura tout appris d'elle. Elle deviendra, après cette longue période d'apprentissage, un animal particulièrement solitaire et un redoutable chasseur.

Durant ces deux années, les trois ou quatre petits de la portée seront quasiment restés dans les mêmes lieux, car la panthère est sédentaire et change rarement de territoire. Dans les régions riches en gibier, les territoires sont plus petits que dans les zones plus pauvres. Ceux des mâles sont généralement plus étendus que ceux des femelles et en recouvrent souvent un ou plusieurs ; en revanche, ils ne recouvrent jamais ceux des autres mâles.

Pour signaler sa présence, elle marque la végétation en laissant l'empreinte de ses griffes sur l'écorce des arbres ou sur des pierres, tout en poussant des toussotements rauques. En effet, comme tous les autres félins, la panthère est très éloquente. Les positions de sa queue signalent différents états. Elle possède une large palette de sons et de moyens d'expression auxquels elle initie peu à peu ses petits. Lorsqu'elle s'adresse à eux, elle émet de petits cris rapides. Ses grondements brefs sont un signe de reconnaissance, mais, accompagnés de soufflements, ils signifient que la panthère est sur le point de se mettre en colère. Lorsqu'elle part à la chasse, elle commence par toussoter, puis elle rugit au moment de l'attaque. Dès l'âge de trois mois, ses petits l'accompagnent. À leur tour, ils seront capables, quelques semaines plus tard, de capturer des proies et de reproduire en miniature les expressions vocales de leur

Le « langage » des panthères

mère. À ses côtés, ils auront aussi appris à être rusés et patients.

La panthèe adulte est en effet un maître de la dissimulation, qui n'est jamais là où l'on croît la trouver. Elle enseignera à sa progéniture l'art de faire de grands détours pour éviter un piège et atteindre son but coûte que coûte.

[1] Cette carapace de tortue apportée par sa mère permet à cette jeune panthère d'apprendre à dévorer une proie.
[2] Le pelage tacheté permet aux petits et aux adultes de se camoufler au milieu de la végétation.
[3] Comme les chats, les jeunes panthères ronronnent.

[4] Les arbres sont pour les panthères à la fois un point d'observation, un lieu de repos, mais aussi l'endroit où les proies sont rapportées afin d'y être dégustées en toute tranquilité, à l'abri des hyènes et des autres carnivores.

[1] Le jeu enseigne la patience, l'une des caractéristiques de l'espèce.
[2] Tout en grimpant aux arbres, les jeunes panthères poussent miaulements et piaillements.

Pour les jeunes lapins
de garenne, la sortie du terrier
s'accompagne toujours
d'un toilettage rigoureux.

La toilette de leurs petits occupe beaucoup les parents. Toujours soigneuse et méthodique, elle participe à les garder en bonne santé. Pour les mammifères comme pour les oiseaux, la toilette est indispensable : elle entretient leur pelage ou leur plumage, évacue les parasites et crée toutes sortes de liens essentiels avec leur progéniture.

Elle représente souvent le premier contact entre le jeune et la mère : celle-ci lèche son petit à la naissance pour le nettoyer et le sécher et, par la suite, elle continuera de le faire pour le garder propre jusqu'à ce qu'il devienne indépendant. Durant cette toilette « inaugurale », qui sert aussi à activer la circulation du sang et la respiration, la mère pousse parfois de sa langue le petit vers ses mamelles. Cette activité a aussi une fonction de reconnaissance. La mère imprègne sa progéniture de son odeur et s'imprègne de la sienne afin que les deux puissent se reconnaître, surtout au sein d'un groupe.

Plus tard, la toilette deviendra une activité plutôt solitaire, sauf pendant la période des amours, où la femelle lèche le mâle et réciproquement. Elle peut aussi, mais plus rarement, remplir une fonction sociale : adultes et petits, apparentés ou non, s'adonnent de la sorte à l'épouillage, comme le font les singes ou parfois même les loups.

L'eau, la poussière et la boue sont les ustensiles de toilette. L'hippopotame ainsi que la loutre se plongent dans l'eau, tandis que les oiseaux se rafraîchissent dans les flaques. Certains mammifères, comme les éléphants et les ours, se frottent contre des troncs d'arbre pour éliminer les parasites.

Les félins ont une langue râpeuse dotée de

Se laver et être lavé

papilles cornées qui leur permettent de se laver remarquablement bien. Ainsi le pelage des tigres et des panthères ressemble à du velours. Le lion est une exception : ses vieux bouts de crinière sales qui pendent n'ont pas l'air de le gêner, alors que les lionceaux sont scrupuleusement nettoyés par leur mère.

[1 à 4] Pour les macaques du Japon, s'épouiller est une occupation qui prend beaucoup de temps. Les femelles épouillent leurs petits, mais ceux-ci s'épouillent entre eux et, à leur tour, débarrassent leur mère ou les autres adultes de leurs parasites.

[5] La mère babouin épouille
avec soin son petit.
[6] Le chaton humecte sa patte
pour ensuite la passer sur les parties
de son corps que sa langue
ne peut pas atteindre directement.
[7] La chatte lèche son petit pour
entretenir son pelage.

[1-2] Les jeunes tigres du Bengale ont appris de leur mère à bien se nettoyer les pattes, les coussinets, mais aussi les griffes pour les rendre plus acérées.
[3] Les jeunes tigres du Bengale lavent souvent les adultes en signe de soumission.

[4] La lionne lèche son petit pour le laver. Un peu plus grands, les lionceaux se laveront mutuellement.

[1] Le bain de boue permet à l'éléphanteau
de se débarrasser de ses parasites.
[2] L'antilope gerenuk lave soigneusement
et tendrement son petit.

La trompe des éléphants
sert à la fois de douche
et de saupoudreuse ;
elle pulvérise l'eau et répand
de la poussière sur son corps.

L'éléphant ne peut vivre sans eau. On estime sa ration journalière à plus d'une centaine de litres ! Il a non seulement besoin de boire énormément, mais aussi de s'immerger régulièrement. Ainsi, plusieurs fois par jour, les membres du troupeau, adultes et petits, se retrouvent autour d'un étang ou d'une rivière. Ces points d'eau sont aussi des points de rencontre entre groupes.

Les femelles les plus âgées gardent en mémoire la localisation de ces lieux rares et transmettent ce savoir aux jeunes générations. En forêt, l'éléphant boit à n'importe quelle heure de la journée lorsqu'il rencontre un marigot. Dans la savane, c'est plutôt en milieu de journée ou juste avant la tombée de la nuit qu'il procède à ses ablutions. Pour l'éléphanteau, qui passe par ailleurs beaucoup de temps à jouer, le moment du bain est absolument privilégié.

Après s'être désaltérés, les animaux s'aspergent la tête et le corps, pataugent joyeusement, soufflent, pulvérisent partout le précieux liquide et finissent par s'immerger et se coucher complètement dans l'eau en ne laissant dépasser que le bout de leur trompe. Pour les éléphanteaux, c'est un pur moment de bonheur : ils barbotent, se bousculent, font des culbutes, s'éclaboussent sous le regard vigilant de leur mère et de leur tante, qui interviennent parfois pour modérer leur ardeur. S'il y a de la boue, le plaisir est encore plus intense. Les éléphanteaux la prennent au creux de la trompe et se la projettent sur tout le corps. Puis ils s'y vautrent avec jubilation et en

Toilette et jeux d'eau des éléphants

ressortent entièrement couverts. De gris ardoise, ils deviennent noir luisant. A regret, ils quittent le lieu sous la houlette des adultes. Epuisés, ils se laissent tomber sur le sol, à l'ombre des arbres, et s'endorment.

[1 à 4] Les éléphants font
de longs trajets dans la savane,
tout en prévoyant des haltes
à des points d'eau qu'ils
connaissent, où ils iront boire,
mais aussi se laver et se
rafraîchir. Lorsque l'eau vient
à manquer, les adultes creusent
le sol avec leurs défenses pour
accéder aux nappes d'eau
souterraines.

5 6

[5-6] Les éléphanteaux, exposés
à la chaleur et au plein soleil,
ont besoin de boire
quotidiennement plusieurs
centaines de litres d'eau.
[7] En Afrique du Sud,
les éléphants et leurs
éléphanteaux prennent souvent
des bains de mer.

7

[1 à 3] La femelle éléphant cherche toujours des territoires bordés d'eau où ses petits trouveront de l'herbe verte et de l'eau pour se baigner.

[4] Les éléphants n'hésitent pas à traverser les fleuves,
à gué ou à la nage.

[1 à 7] Les bébés éléphants adorent l'eau, ils y restent des heures, constamment surveillés par leur mère.

[1-2] Souvent, après le bain,
les éléphants se saupoudrent
de poussière.
[3] Les grandes étendues
herbeuses proches des points
d'eau sont très recherchées
par les mères pour leurs petits.

[4 à 7] Les éléphants accompagnés de bébés font de longs trajets ponctués de nombreux arrêts à des points d'eau. Dans ces lieux, il n'est pas rare de voir boire et se baigner ensemble des espèces qui d'ordinaire se chassent et se dévorent. C'est la trêve de l'eau.

371

[1 à 6] La femelle éléphant apprend à son petit à trouver les points d'eau. C'est elle aussi qui lui montrera, lors des grandes sécheresses, comment récupérer de l'eau dans certains végétaux comme dans les troncs spongieux et remplis d'eau des baobabs, ou dans les plantes succulentes comme les euphorbes et les aloès.

À la ville,
à la ferme

Quoi que l'on puisse en penser, les oiseaux ne sont pas les seuls animaux des villes. Plus invisibles, mais bien réels, des insectes, des poissons et même des mammifères vivent et donnent naissance à leurs petits dans les parcs, les rues, les égouts, les greniers...

Ils trouvent dans la ville une chaleur bienfaisante grâce au chauffage des maisons et aux gaz d'échappement des voitures, et de la nourriture abondante dans les poubelles et sur divers étalages.

Les arbres fournissent de l'oxygène et, tout comme les toits et les cheminées, des abris pour les nids. Plus de quatre-vingts espèces d'oiseaux font des séjours dans les villes, certaines y construisent leurs nids ; seule une dizaine d'entre elles y restent en permanence. La chaleur propre à la ville permet à certaines espèces de se reproduire bien avant l'arrivée des beaux jours. Dans les îlots de nature se rencontre tout un petit monde qui préfère, souvent par sécurité, mener une vie nocturne : taupes, fouines, écureuils, etc. Les maisons sont les royaumes des souris, qui se reproduisent particulièrement vite, tout comme les rats qui ont envahi les égouts et les caves. Paris en compterait autant que d'habitants ! Chauves-souris et chouettes effraies, peuplent quant à elles les greniers en compagnie de leurs petits. Les fleuves abritent de nombreuses espèces de poissons, mais certaines ne peuvent s'y reproduire faute de trouver la végétation nécessaire pour déposer leurs œufs. Il arrive que le renard vienne chercher en ville de quoi se sustenter, tandis que les renardeaux l'attendent, au milieu de la nature

Des bébés dans les villes

proche, dans leur terrier. Mais il est bien rare de le croiser dans les rues. Les grandes villes abritent quelquefois des espèces exotiques. L'ailante, arbre originaire d'Asie, qui s'est acclimaté dans les parcs et les jardins publics, a émigré avec son papillon hôte, un sphinx qui est devenu le plus grand papillon nocturne d'Europe.

[1] Les souris vivent à proximité des hommes. Nichant dans les greniers, elles s'aventurent jusque dans les habitations pour y dérober de la nourriture.
[2] Les mouettes tridactyles sont fréquentes dans les villes des bords de mer, notamment en Bretagne. L'hiver, elles s'enfoncent plus profondément dans l'arrière-pays.
[3] Le martinet niche en pleine ville, sur des édifices en hauteur.

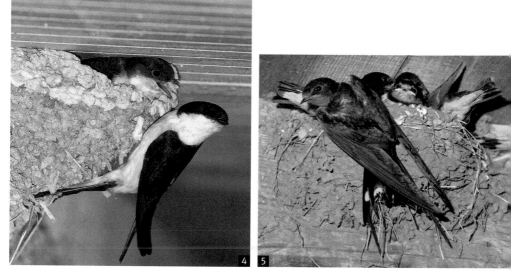

[4] L'hirondelle de fenêtre est une citadine faisant son nid dans les bâtiments abandonnés. [5] L'hirondelle de cheminée, ou hirondelle rustique, préfère les villages aux villes. [6] Les renards, lorsqu'ils ont faim, s'aventurent souvent dans les villes pour y faire les poubelles.

[1] La pie est très présente près des habitations ;
il est possible de l'apprivoiser car elle ne craint pas
l'homme.
La corneille noire chasse souvent la pie de son nid,
tandis qu'elle-même dérobe les œufs des passereaux ;
d'où sa réputation de voleuse.

[2-3-4] La chouette effraie habite greniers et clochers, où elle installe son nid.
Elle ne sort que la nuit, pour chasser souris et autres rongeurs.

[1 à 4] La fouine, très discrète, sait trouver des maisons abandonnées et des greniers désaffectés pour mettre bas. Nocturne, son régime alimentaire est très varié, composé de petits mammifères, en particulier de rongeurs, d'oiseaux, d'insectes, de vers, mais également de fruits qu'elle dérobe souvent dans les jardins.

5 6

[5] Les moineaux nichent dans les creux des pierres des habitations, ils sont très fréquents en ville, dans les jardins publics.
[6] Les tortues de Floride, achetées en animalerie, finissent souvent dans les points d'eau des parcs des grandes villes, où elles sont abandonnées.
[7] Les canards colverts ont élu domicile sur les bassins des parcs et des jardins publics où les promeneurs leur donnent à manger.

7

Les pigeons sont les oiseaux les plus communs dans les villes où ils causent souvent de gros dégâts avec leurs fientes. Il en existe de très nombreuses espèces : ramier, bizet, tourneur, culbuteur, nonnain, paon, tourterelle.

Les chatons sont joueurs,
ils aiment se faufiler
un peu partout.

À la campagne, juste avant la naissance, la chatte quitte souvent la maison pour trouver un lieu secret où mettre bas. Au bout de quelques jours, elle ramène un par un ses petits au domicile. À la ville, elle choisit dans l'appartement un endroit bien dissimulé où elle prépare une couche douillette.

Ses chatons, sourds et aveugles à la naissance, sont minuscules : ils pèsent de 70 à 130 grammes. Instinctivement, ils se dirigent aussitôt vers les mamelles de leur mère.

Les premiers jours de leur existence, ils ne se réveillent que pour téter ; ils dorment la plupart du temps. À leur attention, la mère produit un son spécial pour les attirer contre son corps bien chaud. Au bout d'une dizaine de jours, les chatons ouvrent les yeux et, après trois semaines, ils sont déjà capables de ramper et de se nettoyer. Ils sont de plus en plus indépendants et commencent doucement à explorer le monde alentour.

Très vite, ils se mettent à jouer comme des fous : ils s'élancent soudainement, font des cabrioles, grimpent le long des rideaux. Puis, passé quelques mois, ils se calment et deviennent plus apathiques.

Excellente nourrice, la mère est même capable d'allaiter des chiots ou des renardeaux orphelins. Elle est aussi une éducatrice émérite. Elle surveille ses petits en permanence et leur apprend, en jouant, tout ce qu'ils devront savoir pour être des chats adultes accomplis : la propreté, des techniques de défense et de chasse.

Pour eux, elle est prête à tout. Bien qu'elle déteste l'eau, elle irait s'y jeter pour aller repêcher l'un de ses chatons si c'était nécessaire. De leur côté, ses petits prennent un malin plaisir à l'agacer, à la titiller, à lui faire toutes sortes d'espiègleries qu'elle supporte, stoïque.

À l'âge de deux mois, les chatons sont prêts à quitter la portée et, vers huit mois, ils ont acquis toute leur indépendance.

D'adorables chatons

[1] Une chatte peut donner dans une même portée des chatons engendrés par plusieurs mâles. [2] Ce chaton de gouttière appartient au type européen. [3] Le chaton âgé de moins de 15 jours a les yeux bleus.

[4] Un chaton et une souris élevés ensemble resteront amis toute leur vie.
[5] Le chat aime son confort, appréciant les coussins et les couvertures.
[6] Le chaton grimpe facilement aux arbres ; il a parfois de la difficulté à en redescendre.

[1] Le chaton naît après une gestation de 72 jours environ.
[2-3] Selon la légende, les birmans descendraient des chats qui vivaient dans les temples en Birmanie. Mais on pense que la race a été créée dans les années 1920 en France, en croisant des persans ou des angoras avec des siamois.

[4] Les chatons ne craignent pas de circuler en haut de murs très étroits,
ils ne connaissent pas le vertige.

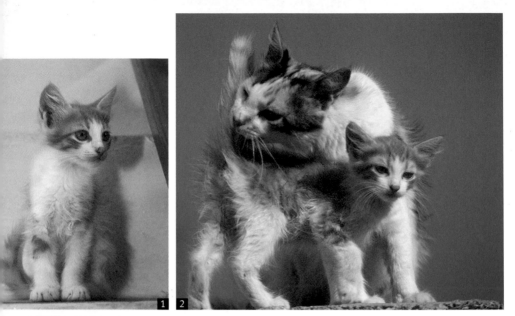

3 [1 à 3 et page de droite] Les îles grecques sont remplies de petits chats plus ou moins sauvages qui jouent dans les rues
et sont nourris par la population.

Les chats se lèchent sans arrêt, tout seuls ou entre eux, d'où leur réputation d'animaux très propres.

3 [1 à 3 et page de droite] La robe des chats européens est soit uniforme, allant du blanc au noir en passant par le gris,
le roux et le marron, soit de plusieurs couleurs.
Lorsqu'un chat arbore une robe à trois couleurs, noir, roux et blanc, on dit que c'est un chat isabelle.
C'est en général une femelle.

Grâce aux nouvelles
réglementations,
on ne coupera plus les oreilles
à ce petit beauceron.

À la naissance, les chiots sont aveugles, sourds et ne perçoivent aucune odeur. Très faibles et sans défense, ils sont incapables de vivre sans les soins de leur mère. Celle-ci accomplit parfaitement son devoir : elle ne les quitte pas plus de quelques minutes, et lorsque c'est vraiment indispensable.

Elle les nourrit, les lèche consciencieusement pour les nettoyer et assure la propreté de la litière en avalant leurs déchets. Un peu plus tard, elle leur fera découvrir le monde. La première semaine, serrés les uns contre les autres, les chiots passent leur temps à dormir, sauf lorsqu'ils tètent, toutes les deux heures. À deux semaines, leurs paupières s'ouvrent, et à trois, ils deviennent sensibles aux bruits, tandis que leur odorat commence à se développer. Si un chiot vient à s'éloigner, la mère le ramène vite par la peau du cou. Vers l'âge d'un mois, ils se mettent à explorer le monde. La perception des objets qui bougent leur fait faire toutes sortes de mimiques comiques et attendrissantes. Ils se bagarrent entre frères et sœurs, ce qui est une manière de faire davantage connaissance. La mère participe à ces jeux qui sont un véritable apprentissage. Les chiots anticipent et expérimentent ainsi des situations de la vie adulte : la chasse, la course, les morsures, la défense. Et surtout, une hiérarchie commence à s'établir entre eux. Les plus forts assujettissent les plus faibles. Il arrive que ces derniers adoptent une posture de soumission : ils se couchent alors sur le côté, le ventre en l'air et émettent parfois un jet d'urine. À six semaines, le chiot a acquis pratiquement tous les comportements propres à son espèce. Très

Des chiots espiègles

dévouée durant les premières semaines, la mère devient indifférente dès lors que ses petits peuvent se débrouiller seuls. Ces chiots, devenus grands, n'auront plus du tout la notion de famille et pourront s'accoupler sans problème entre frères et sœurs et même entre enfants et parents. Mais les éleveurs éviteront cette consanguinité.

[1] Les malinois recherchent toujours la présence de leur maître et de toute la famille de clui-ci, notamment des enfants. [2-3] Ces bébés bouledogues n'ont que quelques jours, ils viennent d'ouvrir les yeux.

[4] Les petits beaucerons sont de compagnie agréable ; très endurants, ils ont besoin de beaucoup d'exercice.
[5] La robe des jack russell terrier est le plus souvent blanche avec des taches noires et marron.
[6-7] Les cavaliers king-charles sont des chiens très doux, parfaits pour une famille avec des enfants.

403

[1] Les chiots malinois sont extrêmement vifs :
ils adorent jouer avec des balles.
[2-3] Plus ils sont petits plus les shar-pei
sont fripés. Plus âgés, leur peau deviendra
complètement lisse.
[4] Ce petit border collie s'amuse parmi les roseaux.

3 [1] Même adulte, le west-highlander restera un petit chien.
[2] Le petit rottweiler est une boule de poils adorable ; adulte, il pourra devenir extrêmement dangereux s'il a été mal dressé.
[3] Le border collie est un chien espiègle.

[4] Les jack russel terriers sont appelés « ratiers » car ils adorent chasser les souris et les rats.
[5] Le bouvier bernois est le « nounours » favori des familles.
[6] Les terre-neuve sont des chiens aux pattes légèrement palmées, qui adorent l'eau.

407

Âgés de quelques jours, ces petits jack russel terriers
sont transportés dans la poche du tablier de leur maître :
ils apprendront ainsi à reconnaître son odeur.

Ces petits husky du Canada se blottissent
l'un contre l'autre pour se protéger du blizzard.

[1-2] La position des taches noires et marron des jack russel terriers sur leur gueule déterminent la valeur de ces chiens.
[3] Le petit saint-bernard va devenir un énorme chien très affectueux, associé à la petite bonbonne d'alcool attachée à son cou pour sauver les alpinistes en détresse.

[4] Le jack russel terrier a connu son heure de gloire grâce au film *The Mask*, avec Jim Carrey.
[5 à 7] Les husky du Canada vont passer leur enfance ensemble. Plus tard, ils seront rassemblés en équipage pour tirer les traîneaux dans la neige.

P ar une nuit de printemps, la jument met bas. Elle renifle son petit et pousse un doux hennissement. Ses coups de langue, tout en le nettoyant, lui communiquent son odeur, tandis qu'elle étudie soigneusement la sienne pour pouvoir le reconnaître. Car, au début, le poulain est incapable d'identifier sa mère.

De la tête, elle l'encourage à bouger, à étirer ses membres, à se dresser sur ses pattes incertaines. Ce qu'il ne tarde pas à faire. Il ne lui faut même pas une heure pour se tenir debout et se mettre à téter, activité à laquelle il s'adonne toutes les heures. Quelques jours à peine après sa naissance, le poulain gambade auprès de sa mère. Il est même capable d'aller à sa vitesse, si elle n'est pas trop rapide. La jument prend grand soin de son petit : elle ne le quitte pas d'un pas, le tient éloigné des curieux, l'accompagne dans ses jeux et le protège contre tous les dangers. À quatre semaines, les poulains commencent à jouer ensemble. Des amitiés se nouent, parfois pour des années. En contact les uns avec les autres, ils apprennent peu à peu à connaître leur place singulière dans la harde. Les pouliches ont tendance à rester près de leur mère. Vers six mois, les jeunes ont gagné leur indépendance. C'est par l'arrière-train que l'ânesse essaie de soulever son petit pour le mettre debout. Deux jours après, l'ânon galope devant sa mère vigilante. Après deux mois, il s'éloigne d'elle de plus en plus. Et, au bout d'un an, il la quitte définitivement. On l'aura qualifié d'entêté, d'indécis et même d'idiot. Mais tout cela relève de la légende : l'âne est intelligent et

Le poulain et l'ânon

doux. Petit, il est un merveilleux compagnon de jeu. Les ânes et les chevaux ne doivent jamais être laissés seuls. Une présence humaine journalière est indispensable. Ils ont également besoin, au box comme au pré, d'un compagnon. Cela peut être un autre âne ou un cheval, mais aussi un chien voire un mouton.

[1-3-5-6-7] Malgré sa petite taille, le poney des îles Shetland est proportionnellement le plus puissant des chevaux.

[2] Le jeune poulain aime courir avec sa mère, un cheval de trait comtois.

[4] L'ânon est, dès son jeune âge, très à l'aise dans les terrains escarpés.

À la ville, à la ferme

415

[1] Le poulain devra attendre que ses molaires poussent pour pouvoir commencer à brouter.
[2] La robe des jeunes poneys est partiellement bouclée ; elle deviendra plus lisse avec l'âge.
[3] L'ânesse a son premier ânon vers l'âge de 3 ou 4 ans.

[4] Les poneys shetland sont très à l'aise dans les terrains abrupts
des côtes des îles Shetland et Orcades, au nord de l'Écosse.

Devenu adulte, l'âne se contentera d'une nourriture assez grossière, mangeant volontiers des plantes coriaces comme les chardons.

La crinière abondante typique des poneys shetland viendra avec l'âge.

[1 à 4] L'ânon a une relation très étroite avec sa mère, il la suit partout. Toujours prêt à téter, il avale de 3 à 5 litres de lait par jour. Ce lait a longtemps servi de substitut au lait maternel des humains. Il est aussi connu pour ses vertus en cosmétique : Cléopâtre, la célèbre reine d'Égypte se baignait dans du lait d'ânesse.

[5 à 7] D'allure douce et tendre, l'ânon et plus tard l'âne ne sont pas si faciles à vivre, leur caractère étant souvent assez fantasque.

Ces jeunes poulains portent leur magnifique robe grise typique des chevaux arabes.

Il n'est pas rare de voir chez les chevaux camarguais des poulains naître avec une robe très foncée.

Les poussins de la poule
nègre soie sont recouverts
d'un duvet ressemblant
à de la soie.

Parmi les nombreuses parties de la ferme, où vivent beaucoup d'animaux domestiques, se trouve la basse-cour. Elle est peuplée de poules, d'oies, de canards, etc., et une grande activité y règne. Tout ce petit monde très bruyant évolue depuis le lever du soleil, moment où le coq, véritable horloge, réveille la communauté, jusqu'à la tombée du jour.

C'est à ce moment que la plupart des animaux regagnent leur abri. Partout, ça s'agite, glousse, cancane et roucoule. Le dindon fait la roue en glougloutant, tandis que la poule caquette fébrilement lorsqu'elle n'est pas occupée à couver ses œufs. Elle en pond de dix à douze à la fois. L'éclosion aura lieu vingt et un jours plus tard. La dinde, quant à elle, couve de huit à quinze œufs, une fois par an. Tous ces animaux protègent soigneusement leurs petits. Devant des bruits inhabituels ou lorsqu'ils pressentent une menace, il leur arrive même d'attaquer. L'oie et le jars défendent leur nid avec beaucoup d'énergie. Ils cacardent allègrement devant toute intrusion. Mais contre le renard qui rôde parfois la nuit, seul un système de clôture efficace peut être dissuasif.

La fermière vient distribuer des grains d'orge, de blé et de maïs par poignées, ce qui a pour effet d'augmenter encore le fond sonore. Elle prélève quelques œufs ou quelques bêtes qu'elle destine à son usage personnel ou au marché local. Mais depuis qu'il existe des méthodes modernes d'élevage en batterie, les animaux désertent un peu les cours des fermes.

La basse-cour

Heureusement, il reste encore quelques basses-cours à usage domestique. La popularité grandissante des volailles élevées en plein air a permis de retrouver les goûts et les saveurs d'antan. Les vacances à la ferme, ou dans les gîtes ruraux, offrent à nouveau aux citadins l'occasion de voir des animaux de basse-cour évoluant en liberté.

[1] Une couvée de canards compte en général une douzaine de canetons.
[2-3] La poule est une excellente mère ; elle donne consciencieusement à manger à ses poussins et les protège.

[4] La lapine allaite ses lapreaux
deux fois par jour.
[5] Les poules de la race nègre
soie ont des os noirs,
d'où leur nom.
[6] Durant les six premiers mois,
les poussins changent
trois fois de plumage.

[1-2] Les oisons sont des nidifuges ; ils quittent leur nid aussitôt après la naissance et sont capables de marcher et de nager.
[3] Les canetons marchent toujours derrière leur mère, se jettent dans l'eau à sa suite et nagent.

[4] La lapine met au monde de 3 à 7 lapereaux ; les premiers jours, elle les dissimule aux regards en les cachant sous la paille
[5] À leur naissance, les poussins pèsent environ 35 g et mesurent 8 cm.

Ce petit agneau, né
il y a quelques heures,
tient déjà debout.

L a brebis met au monde un ou deux petits après une gestation de cinq mois. Une demi-heure au plus tard après leur naissance, les agneaux se dressent sur leurs pattes tremblotantes, retombent une ou deux fois, et très vite se mettent à faire des bonds. Leur mère les nourrit pendant plus de deux mois, avant qu'ils ne commencent à brouter.

Pour téter, ils se mettent à genoux sur leurs pattes avant et écartent celles de derrière. Ils attrapent l'un des trayons de la mamelle et tirent par petits coups brusques.

Il est difficile de distinguer un agneau d'un autre agneau. Les mères y parviennent le plus souvent en identifiant parmi tous les animaux le bêlement de leur progéniture. Elle ne leur permet de téter que si elle a ensuite reconnu leur odeur. Mais l'agneau ne possède pas encore ces capacités et perd parfois définitivement sa mère de vue. Il faut alors l'abriter à la ferme et le nourrir au biberon jusqu'à ce qu'il puisse se débrouiller seul.

Les moutons vivent en troupeau : ils ont peu de goût pour la solitude. Lorsqu'un petit s'éloigne malencontreusement du groupe, il pousse des bêlements déchirants jusqu'à ce que sa mère le retrouve. En grandissant, l'agneau femelle, qui devient brebis, garde sa douceur légendaire. Mais l'agneau mâle, quant à lui, se transforme en un bélier plutôt agressif. A moins qu'on ne le castre pour en faire un mouton. La chèvre met bas son petit debout, qui tombe directement dans la paille de l'étable. Cela annonce bien le caractère du chevreau, encore nommé cabri - de là vient le mot

Doux comme un agneau, un chevreau plein de vie

« cabriole » : il ne cessera de s'agiter. Une demi-heure après sa naissance, quelques tentatives maladroites et émouvantes finissent par le mettre sur ses pattes et, peu de temps après, il commence à jouer, à sauter, à gambader. Son

agilité lui permettra d'être à l'aise sur les pentes les plus abruptes et lui donnera envie de s'échapper sans cesse.

Mais il est tout d'abord abondamment léché par sa mère, qui s'imprègne de son odeur et lui communique la sienne, préalable indispensable à la reconnaissance réciproque. Puis elle l'abreuve d'un lait très riche. Après une semaine, le cabri se mettra à grignoter du foin, sans pour autant cesser de téter. Adulte, il se contentera d'une nourriture très frugale : des ronces, des buissons, des pissenlits. Il n'hésitera pas à grimper aux arbres pour manger les jeunes pousses ni à en ronger l'écorce. Véritables tondeuses sur pattes, les chèvres sont parfois utilisées, comme en Provence, pour débroussailler les forêts et ainsi les protéger des incendies.

Il arrive parfois qu'une mère néglige son petit. Celui-ci est alors pris en charge par l'éleveur qui doit lui prodiguer des soins à sa place et le nourrir au biberon. Pourtant, la chèvre est une grande protectrice. Particulièrement en montagne, où elle doit détendre farouchement son chevreau contre l'aigle qui plane, aux aguets.

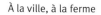

À la ville, à la ferme

[1 à 5] Les chevreaux naissent après 5 mois de gestation. La chèvre a une portée de 1 ou 2 petits. Elle peut avoir son premier petit à l'âge de 1 an. Le cabri pèse environ 1,7 kg à sa naissance et atteint une dizaine de kilos au bout d'un mois et demi. Les chevreaux seront sevrés vers l'âge de 4 à 5 mois.

[1] Suivant les races, la robe
des agneaux est blanche,
ponctuée de taches noires
ou complètement noire.
[2] L'agneau reste toujours
au plus près de sa mère.
[3-4] Après sa naissance,
l'agneau ne met que très peu
de temps pour se lever.

[5] Les agneaux tentent parfois de téter
une mère qui n'est pas la leur.
[6] La plupart des agneaux mâles
sont abattus et mangés
vers l'âge de 4 à 5 mois.
[7] Certains mères refusent de nourrir
un de leurs petits : il faut alors
leur donner le biberon.

L'agneau atteindra son plein développement à l'âge de 3 ans,
mais peut se reproduire dès ses 18 mois.

[1 à 3] Les agneaux femelles sont conservés pour la reproduction et pour la fabrication de fromages. Les brebis peuvent vivre plus de 15 ans.

[4] Certains agneaux ont une robe
faite de laine non bouclée.
[5] Les brebis donnent souvent naissance
à des jumeaux, ils restent alors
très proches toute leur vie.
[6] Les agneaux jouent avec leur mère
en grimpant sur elle.

[1] La chèvre a une portée de 1 ou 2 petits.
[2] Les chevreaux adorent grimper sur tout
ce qu'ils trouvent.
[3] Après la tétée, le petit chevreau fait une longue
sieste.

[4] La robe des chevreaux est très variable, elle va du blanc pur au noir, en passant par toute une gamme de gris et de marron. Beaucoup de chevreaux sont bicolores.

[1] Dans les élevages, les petits sont nourris avec du lait en poudre, le lait maternel étant commercialisé pour la production de fromage.
[2-4] Très tôt, les cabris sautent en soulevant leur pattes arrière et avant.
[3] Les chevreaux naissent après une gestation de 5 mois.

444

[5] Après avoir brouté,
les chevreaux ruminent.
[6] Les cabris sont très agiles
et peuvent grimper sans
problème sur des rochers
et des parois escarpées.

La vache a en général un seul
veau par an. La gestation
dure 9 mois et demi.

Le veau vient au monde après neuf mois et demi de gestation. C'est un enfant unique : il est très rare, en effet, que la mère donne le jour à plus d'un animal à la fois. Il est couvert de poils, et ses yeux sont grands ouverts sur le monde. Il pèse déjà entre 30 et 50 kilos. Quelques heures après sa naissance, il fait ses premiers pas dans l'étable ou dans la prairie.

Pendant les premiers jours de son existence, il passe le plus clair de son temps à dormir, quand il ne tète pas longuement sa mère, qui l'abreuve d'un lait très riche. La vache reconnaît son petit essentiellement à l'odeur, tandis que celui-ci répond à son meuglement : un lien très fort les unit à cette période. Pour attirer l'attention de sa mère ou de ses congénères, le veau pousse de forts mugissements. Par ces cris, il exprime sa faim ou se plaint de sensations désagréables.

Plus tard, il devient comme sa mère, un animal contemplatif, occupé à brouter plus de huit heures par jour et à ruminer consciencieusement. Une fois sevré, il rompt tout lien avec sa mère pour trouver sa place dans le troupeau, tandis que les taureaux, à l'écart, attendent impatients la période des chaleurs.

Si son petit lui est enlevé avant terme, la vache connaît plusieurs jours de détresse. Sa progéniture, plus ingrate, s'accommode mieux de la situation. Elle se prend facilement d'affection pour d'autres veaux ou encore pour ses maîtres. L'espérance de vie d'un veau dépend de l'utilisation qu'on veut en faire. Sacrifié, le veau va donner une viande d'excellente qualité, surtout lorsqu'elle porte l'appellation de « veau de lait », ce qui signifie

Un unique veau

qu'il a été élevé sous la mère. Laissée en vie, la femelle devient une génisse puis, après son premier bébé, une vache laitière. Les jeunes mâles ou taurillons serviront de reproducteurs. Castrés, ces derniers deviendront des bœufs pour la viande. Les vaches sont également utilisées pour la boucherie, mais toujours sous l'appellation de bœuf !

[1] La race d'Aubrac, des plateaux aveyronnais, est l'une des plus résistantes.
[2] La limousine est une race élévée pour la qualité de sa viande.
[3] La blonde d'Aquitaine est très appréciée des éleveurs, car elle a d'excellentes aptitudes au vêlage.
[4] Chez les salers, la traite des vaches est spécifique, car la présence du veau est indispensable pour récolter le lait. C'est en effet le veau qui amorce la traite.

[5-6] Les vaches sont sacrées en Inde,
ce qui n'empêche pas leur élevage pour
la production de lait, notamment avec
la race brahmane.
[7] Le petit veau est appelé taurillon si c'est un mâle,
et génisse si c'est une femelle. Adulte et castré,
le taurillon devient un bœuf.

[1-2] Plus tard, ces petites génisses pourront donner jusqu'à 650 litres de lait par mois.

[3-4] Dans les premiers temps, le veau ne quitte pas sa mère ; celle-ci n'accepte pas la présence d'un autre veau près d'elle.

[5] Il arrive, mais c'est exceptionnel, qu'une vache donne naissance à des jumeaux.

[6] Les vaches prêtes à vêler sont rentrées dans l'étable ; le veau naît dans la paille.

Les truies ont deux portées
par an, chacune pouvant
donner 12 porcelets.

l est rare d'assister à une naissance de porcelets. Celle-ci se déroule la plupart du temps pendant la nuit. Quand l'heure arrive, la truie s'agite et creuse le sol pour y faire son nid. Une heure après, elle a mis bas. Elle lèche alors soigneusement ses petits avant de les diriger au moyen de son groin vers ses tétines, qu'elle possède en très grand nombre.

Chacun a la sienne et se voit chassé par ses frères ou sœurs s'il vient à se tromper. Les tétines situées à l'avant produisant davantage de lait, les porcelets rivalisent pour y accéder. Ils vont jusqu'à se mordre au moyen de leurs dents de lait acérées.

La truie est un animal prolifique, elle est capable d'avoir entre quatre et douze petits par portée. Le record est détenu par une truie qui a mis bas trente-quatre porcelets dans un élevage situé au Danemark. Une heure après leur venue au monde, ils essaient déjà de se dresser sur leurs pattes vacillantes. Il ne leur faut que quelques efforts pour trottiner partout très rapidement. Le porcelet pousse des grogne-ments et des cris particulièrement aigus et perçants. Ce peut être aussi bien le signe d'une frayeur que d'un contentement. Ces couinements les aident par ailleurs à se regrouper. Face à une menace, la mère émet un sifflement nasal pour prévenir ses petits. En cas de danger réel, elle n'hésite pas à atta-quer. Lorsqu'elle fouille la terre avec son groin, il lui arrive aussi de grogner pour signaler à ses porcelets qu'elle a trouvé quelque chose d'intéres-sant à manger. Le porcelet a très longtemps été un symbole de chance. Sans doute parce qu'une large portée représentait une valeur inestimable pour

Des porcelets en nombre

les paysans. En Chine, chaque année est placée sous l'influence d'un animal symbolique ; celle du cochon est l'une des plus bénéfiques. Un enfant né l'année du cochon réussira tout ce qu'il entre-prendra. Il sera heureux en amour et en affaires et aura de fortes chances de faire un bel héritage ou de toucher une grosse somme inattendue !

[1] Le cochon de lait porte ce nom jusqu'à 6 mois.
[2] La truie est très attentive envers ses petits et peut devenir très agressive si l'on s'en approche.
[3] La truie européenne possède 12 mamelles.
[4-5-6] Les cochons élevés en plein air donnent une viande de meilleure qualité. Ils sont rarement malades, contrairement à ceux élevés en batterie.

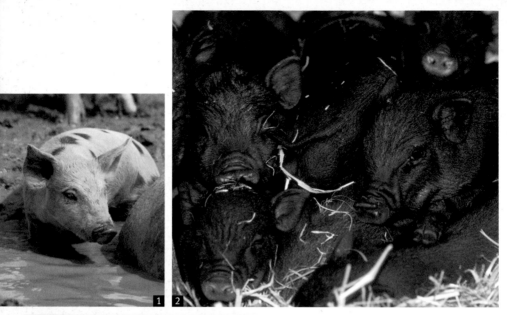

[1] Les porcelets adorent se vautrer dans la boue
pour se débarrasser de leurs parasites.
[2-4] Sous l'appellation de cochons chinois sont
regroupéees plusieurs races de porcs à robe noire.
[3] Contrairement à une idée reçue, les cochons
ne sont pas des animaux sales. Élevés à l'extérieur,
les porcelets sont d'un beau rose.

[1-2] Le bain de boue est toujours l'occasion de jeux pour les porcelets.

[3] Les porcelets naissent après une gestation de 114 jours.

[4] Il arrive que, dans une même portée, certains porcelets aient une robe différente de celle des autres.

[5] Le cochon est domestiqué par l'homme depuis plus de 5 000 ans.

[6] Les cochons se déplacent souvent en famille, le mâle et la femelle surveillant les petits.

459

Index